EL PEREGRINO RUSO

Se consiguen en la red de Librerías SAN PABLO

Caracas: Telfs.: (0212) 572.36.97 / 08.91 - caracas@sanpablo.org.ve
El Hatillo: Telf.: (0212) 962.73.40 - hatillo@sanpablo.org.ve
Maracay: Telf.: (0243) 247.04.21- maracay@sanpablo.org.ve
Maracaibo: Telf.: (0261) 791.65.83 - maracaibo@sanpablo.org.ve
Maturín: Telf.: (0291) 772.58.11 - maturin@sanpablo.org.ve
Mérida: Telf.: (0274) 252.92.18 - merida@sanpablo.org.ve
Pampatar: (0295) 267.45.73 - margarita@sanpablo.org.ve
Puerto La Cruz: Telf.: (0281) 265.78.07 - puertolacruz@sanpablo.org.ve
San Cristóbal: Telf.: (0276) 344.29.67 - sancristobal@sanpablo.org.ve

Para suscripción:

suscripciones@sanpablo.org.ve

Distribuye:
San Pablo multimedi@
E-mail: sanpablobolivia@gmail.com
sanpablomultimedi@gmail.com
Santa Cruz de la Sierra, Bolivia
http//www.sanpablomultimedia.bo

7ma Reimpresión 2014

errenquín a La Cruz de Candelaria, Edif. Doral Plaza, Local 1
Apartado 14.034, Caracas 1011-A, Venezuela
Telfs.: (0212) 576.76.62 - 577.10.24
Fax: (0212) 576.93.34

E-mail: editorial@sanpablo.org.ve
Web site: http //www.sanpablo.org.ve

Depósito legal: If56219982313305
Rif: J-00063835-7
Impreso en.: A.C. Talleres Escuela Técnica Don Bosco
Teléfono.: (0212) 237.08.02
Caracas - Venezuela

INTRODUCCIÓN

Estas páginas de la introducción de El Peregrino Ruso, buscan acercar al lector al mundo que rodeó al Peregrino, su vida y cultura tan diferentes a la nuestra. La finalidad es lograr un mejor provecho en la lectura de esta obra, una de las joyas de la literatura espiritual rusa de finales del siglo XIX.

Su lectura, desde el punto de vista literario, es tan agradable y recreativa que se corre el riesgo de convertirla en un mero ejercicio del intelecto, pero eso en nada merma el mérito del libro; solamente nos facilita la lectura; la verdad es que muchos afirman haberlo leído de un solo jalón. Lo importante, es no olvidar que el verdadero objetivo de la obra es enseñarnos a ser mejores cristianos.

El Peregrino y su mundo

El Peregrino ruso trata con veracidad la sociedad y espiritualidad de la Rusia ortodoxa del siglo XIX. No se sabe con seguridad quien fue su autor, pero sabemos que vivió a finales del siglo pasado. Existe la posibilidad de que la obra sea biográfica y que su autor haya sido un Peregrino que narró su historia a alguno de los monjes del Monte Athos y que haya servido para el argumento de esta excelente narración.

El libro fue publicado por primera vez hacia el año 1865. De esta edición no se consigue ejemplar alguno, pero sabemos que la segunda edición es de 1881. Después fueron muchas las sucesivas ediciones, y un siglo después se sigue publicando para el deleite de miles de lectores.

El Peregrino ruso tiene como tema central el recogimiento interior y la oración continua.

El lector se encontrará a veces con palabras y expresiones que no son de fácil comprensión, por tal motivo, se elaboraron notas a pie de página.

También, para orientar al lector hacemos referencia a tres términos, referencias constantes, a través de las páginas que narran la historia del Peregrino.

1. Filocalía. El Peregrino habla constantemente de La Filocalía. Filocalia, literalmente significa amor a lo bello. Pero nuestro Peregrino se refiere a un libro encontrado en un monasterio que es una antología o selección de los textos más bellos de los escritores espirituales del Oriente cristiano.

En la Filocalía encuentra el Peregrino lo que su oración anhelaba: el método de oración a Jesús.

2. Oración interior continua. Es lo que en el libro se llama la oración a Jesús. Algunos traductores hablan de la oración de Jesús. Conocida su formulación: Señor Jesús, ten misericordia de mí, pensamos que lo correcto es oración a Jesús –aunque la referencia es clara en ambos casos–. También se habla de: oración del corazón, oración interior, oración interior continua. Se trata de la misma cuestión.

El Peregrino parece obsesionado con esta oración pero no es obsesión sino búsqueda y anhelo de encontrar el valor y el sentido de la oración interior. La oración a Jesús es un método por medio del cual se puede llegar a la oración continua y que trae consigo la perfecta quietud de las pasiones externas e internas.

El Peregrino, después de encontrar lo que tanto buscaba nos da una descripción sencilla de la oración a Jesús: "La oración continua a Jesús es una llamada continua e ininterrumpida a su divino nombre con los labios, el espíritu y el corazón; consiste en tenerlo siempre presente en nosotros e implorar su gracia en todo momento; tiempo y lugar; aun durante el sueño. Esta llamada se compone de las siguientes palabras: **Señor Jesús, ten misericordia de mí.**

La vuelta del Peregrino

Cuando hablamos de la vuelta del peregrino nos referimos a la vuelta del libro entre los lectores, que aumenta cada vez más en la actualidad.

¿A qué se debe el aumento de lectores de este texto y el que se mantenga como un libro vivo y de enorme actualidad?

Se debe a que el lector encuentra en esta obra una respuesta a muchas de sus aspiraciones espirituales. Aunque el libro puede, en algunas ocasiones, por pertenecer a un tiempo y cultura tan diferente al nuestro, prestarse a interpretaciones ambiguas. Así, por ejemplo, podemos encontrarnos con una profunda aversión a todo lo que menosprecie o entorpezca en lo más mínimo la lucha comprometida. En todo caso, tenemos que ver al Peregrino desde la perspectiva de su tiempo. Lo importante es rescatar sus positivos aportes. Citamos aquí algunos de ellos:

1. Búsqueda y peregrinación

Ser peregrino es vencer el presente como una medida transitoria de una existencia futura.

En la Iglesia, es muy antigua la categoría del hombre peregrino. Nuestro incansable buscador de Dios es un peregrino.

El Peregrino ruso puso toda su ilusión en la búsqueda desinteresada y humilde para poder encontrar lo que buscada.

Su constante caminar, la fuerte y transitoria amistad en búsqueda de una más profunda, es una imagen de la libertad humana.

2. Misticismo y contemplación

Es indudable que la humanidad, en particular a la puerta de un nuevo milenio, ha despertado a la necesidad del misticismo en su vida; existe el deseo de encontrar en el retiro y la espontaneidad interior una experiencia de

Dios. Nuestra humanidad siente el deseo y la necesidad de encontrar a Dios y, la oración cristiana se ha movido también hacia esta búsqueda; ya sea por medio de los grupos carismáticos u otros grupos de oración, lo cierto es que han descubierto el valor de la oración contemplativa.

Mientras que para el mundo cultural de oriente el valor de la contemplación ha sido constante. Este clima espiritual es el que envuelve al Peregrino ruso; de ahí su importancia y anhelo del lector de encontrarse con él.

3. Vocación y no ocio

A veces la vocación religiosa de una vida dedicada a la oración suscita en los hombres de que es una vida de vagancia. El Peregrino conocía bien el peligro del ocio por eso afirma:

"Entre nosotros los hay que se hacen peregrinos por amor al ocio". Este reconocimiento es en el Peregrino un acto de valentía y humildad. Pero deja muy claro que su peregrinar es una vocación.

Acepta su vocación con sencillez: "Cada uno ha recibido de Dios una vocación y para ella está dotado".

Es esto una gran verdad. La oración contemplativa es una dimensión cristiana; pero no podemos olvidar que sólo algunos están llamados a un encuentro continuo con Dios en la soledad y el silencio.

4. Dimensión y valor de la oración

No tendría sentido hablar del Peregrino sin colocar en el centro y como tema principal de la obra el valor de la oración. La búsqueda principal del peregrino es la oración, la clave principal del libro está en las palabras del Apóstol: oren sin cesar.

Son esas palabras las que lo ponen en camino y lo hacen ir de puerta en puerta. El Peregrino quiere orar; necesita orar y quiere aprender a orar.

He ahí el centro de la obra: Aprender a orar.

RELATO PRIMERO

Por la gracia de Dios soy cristiano; por mis actos, un gran pecador, y por mi oficio soy un humilde peregrino que no tiene domicilio y vive siempre errante. Todos mis bienes no son más que un morral sobre la espalda con un poco de pan seco y una Biblia que llevo en mi sayal, junto a mi pecho.

Después de Pentecostés, el domingo 24, fui a rezar a la iglesia durante la misa. La lectura de ese día era la primera Epístola de san Pablo a los Tesalonicenses, donde dice entre otras cosas: *Orad sin interrupción* (1Ts 5,17). Este versículo quedó grabado en mi memoria y comencé a pensar cómo era posible rezar sin interrupción cuando el hombre tenía que ocuparse de tantas cosas para ganarse el sustento de la vida. Busqué en la Biblia y leí con mis propios ojos aquellas palabras que había oído en la iglesia: que siempre, en todo tiempo, en todo lugar debemos orar levantando las manos (Ef 6,18; 1Tm 2,8).

Reflexioné mucho sobre esas palabras sin lograr convencerme.

¿Qué puedo hacer? ¿Quién podrá darme una explicación? Visitaré todas las iglesias en donde hay predicadores famosos; tal vez encuentre algo que me dé una luz. Escuché excelentes sermones sobre la oración; qué es la oración, lo necesaria que es para nuestras vidas y cuáles son los frutos de la oración... Ninguno, sin embargo, enseñaba como era posible orar incesantemente. Escuché una vez un sermón sobre la oración ininterrumpida pero no señalaba los medios para lograrla. Finalmente, al no encontrar una respuesta a mi búsqueda, dejé de asistir a los sermones de las iglesias. Busqué otro camino: encontrar con la ayuda de Dios a un hombre, un maestro que me enseñara aquello que tanto atraía mi alma.

Anduve mucho tiempo por los caminos; leía la Biblia y por todas partes pregunté por ese director piadoso y sabio.

Un día me hablaron de un señor que vivía solo en su casa de campo y que buscaba desde hacía tiempo la salvación de su alma. Que allí tenía su oratorio y no salía nunca de su casa. Todo el tiempo oraba y leía libros piadosos. Sin pensarlo ni un momento me encaminé hacia su casa y encontré enseguida al hombre del que me habían hablado.

–¿Qué queréis de mí?, me preguntó.

He oído decir que sois un hombre sabio y piadoso. Os suplico, en nombre de Dios, me expliquéis el significado de las palabras del Apóstol: *Orad sin interrupción*. Es eso lo que yo más deseo aprender pero no logro entenderlo.

Me miró en silencio durante un largo rato; dijo entonces: una oración continua es el libre vuelo del hombre hacia Dios. Para practicar este ejercicio necesitamos pedir a Dios que sea él quien nos ilumine. Debes rezar mucho y con fervor; sólo así, la misma oración, te enseñará el significado de orar sin interrupción. Es necesario mucho tiempo para aprender.

Me llevó a su casa para que comiera y me dio algún dinero para el viaje; después, se despidió sin más.

Seguí mi camino, pensando siempre en sus palabras pero sin lograr entender la esencia de su verdadero sentido.

Tan ardiente era mi deseo de penetrar en el sentido de aquellas palabras que no lograba dormir en las noches.

Había andado mucho, cuando llegué a una gran ciudad que era capital de provincia. Allí había un monasterio donde se decía que su abad era un hombre de gran bondad, piadoso y hospitalario.

Fui en su búsqueda y él me recibió con gran amabilidad.

– No necesito nada, Padre –le dije–; mi único deseo es que me conteste esta pregunta: ¿Cómo puedo salvar mi alma?

– ¿Salvar tu alma? Si rezas tus oraciones con fervor a Dios, serás salvado.

– Pero oí decir que debemos orar sin cesar y no sé como eso puede ser posible. ¡Por favor!, os ruego, me lo explique.

– No sé cómo explicarlo..., querido hermano. Pero he aquí un librito que te puede iluminar.

Me ofreció el libro de san Demetrio: *Instrucción espiritual del hombre interior*[1]. Me mandó a leer una página que contenía las palabras del Apóstol: "Orad sin cesar", que deben entenderse como orad continuamente en nuestro espíritu.

–Pero explicadme... ¿Cómo puede estar nuestro espíritu siempre en la presencia de Dios sin distraerse nunca y orando continuamente?

–En verdad, es muy difícil. Sólo con la ayuda de Dios se puede lograr. Nada más dijo.

Pasé aquella noche en la abadía; después de dar las gracias por la hospitalidad, seguí mi camino sin saber a dónde ir.

Me oprimía mi ignorancia y para consolarme leía continuamente la Sagrada Escritura.

Anduve así peregrinando por los caminos durante cinco días, hasta que al atardecer me encontré un anciano con porte eclesiástico. Era un monje que vivía con sus hermanos en una retirada ermita que estaba de allí a una distancia de unos diez kilómetros. Me invitó a acompañarlo y me dijo que los peregrinos eran bien recibidos y que en el monasterio le daban hospedaje y comida.

---

1. San Demetrio de Rostou (1651-1709). Obispo de esta ciudad. Vivió en tiempos de decadencia espiritual. Con la finalidad de elevar el nivel moral y espiritual de los fieles, escribió varias obras que no se destacan por su originalidad pero sirvieron para alertar la vida cristiana.

No me sentía inclinado a aceptar y respondí al anciano que mi paz no dependía de encontrar posada y comida, porque yo buscaba una instrucción espiritual.

– ¿Qué clase de instrucción es la que buscas? ¡Ven con nosotros! En el monasterio hay *staretz*[2] que podrán satisfacer tus deseos y guiarte en el camino hacia Dios y de los Santos Padres[3].

Entonces le conté lo que había oído en la Iglesia y leído en la Biblia, que debemos *orar sin cesar*, siempre y en todo lugar, no sólo cuando estamos despiertos, sino también durante el sueño: "Yo dormía, pero mi corazón estaba despierto" (Ct 5,2). Le dije que no lograba comprender esas palabras y tampoco entendía cómo se podían cumplir. Le conté que había visitado iglesias y escuchado sermones; que había leído y meditado sin encontrar la explicación deseada. Permanecía en la inquietud y la duda.

El anciano se santiguó y dijo:

–Agradece a Dios que ha despertado en ti el deseo irresistible por conocer la oración interior. No te inquietes y tranquilízate. Ve en tu deseo un llamado de Dios. Tu angustia espiritual no significa otra cosa que el prevalecer de la voluntad divina sobre tu propia volun-

---

2. Staretzy: Se refiere a monjes de gran sabiduría y experiencia religiosa.
3. Santos Padres: Se refiere a escritores de gran sabiduría y santidad cuyos escritos servían para introducir en la *Filocalía* y que irán apareciendo en las páginas del libro.

tad. Te has dado cuenta ya de que la luz de la oración interior no proviene de la sabiduría mundana ni del solo deseo de saber, sino que se revela en la pobreza de espíritu y la sencillez del corazón. Por eso no hay que sorprenderse si no has comprendido aún la esencia de esta oración y el modo de practicarla sin cesar.

Sin duda, añadió, se ha predicado enseñado y escrito mucho sobre la oración, pero esas palabras, la mayoría de las veces, parten de la especulación del autor y no de su vivencia. Hablar de las cualidades mas no de la esencia. Se habla de la necesidad de la oración, de su fuerza y de su poder así como de los requisitos que deben acompañarla: celo andoroso, fervor, pureza de pensamiento, perdón de las ofensas, arrepentimiento, humildad y otras muchas cosas. Sinembargo, las preguntas fundamentales: qué es la oración y cómo se aprende a orar rara vez son respondidas por los predicadores porque para responderlas es necesaria la experiencia mística y no basta con la erudición. Lo doloroso es que la sabiduría mundana tiende a medir la sabiduría divina con los patrones humanos.

Hay quienes piensan que las buenas obras y los ejercicios preparatorios nos capacitan para la oración contemplativa, cuando en realidad sucede lo contrario: es la oración contemplativa la que produce las buenas obras. Confunden los frutos de la oración con los medios para alcanzarla; y así no se valora su fuerza y finalidad.

El apóstol san Pablo dice: "Os suplico, ante todo, hagáis fervientes oraciones…".

El cristiano debe hacer muchas cosas buenas, pero *ante todo* debe orar, y sin la oración nada bueno se puede hacer; no se puede encontrar el camino que lleva al Señor, ni conocer la Verdad, ni crucificar la carne con sus pasiones; no puede encenderse en el corazón la luz de Cristo que nos hace felices y nos une a Dios. Sólo la oración continua nos enseña a hacer estas cosas. La perfección de la oración no depende de nosotros, porque, como dice el Apóstol: "No sabemos pedir lo que nos conviene" (Rm 8,26). Nos ha sido dado, sinembargo, se debe rezar sin cesar para alcanzar la pureza de la oración, madre de todos los bienes espirituales.

"Conquista a la madre y ella te dará hijos", dice san Isaac de Siria[4], cuando enseña que es necesario conquistar primero la oración para después adquirir las virtudes.

Pero quien carece de experiencia en la oración y no conoce la doctrina de los Santos Padres no puede hablar de ello.

Mientras conversábamos, casi sin darnos cuenta, llegamos al lugar donde vivía. Como no quería separarme de él sin satisfacer mi deseo, me apresuré a decirle:

---

4. Más conocido con el nombre de Isaac de Nínive, por haber sido obispo de esa ciudad. Vivió en la segunda mitad del siglo VII. Es uno de los autores cuyos escritos se recogen en la *Filocalía*.

– Os ruego, por favor, reverendo Padre, me expliquéis qué es la oración continua y cómo se aprende.

El anciano aceptó mi pedido y me invitó a su celda. Me dijo:

– Entra ¡te daré un libro escrito por los Santos Padres. Con este libro y la ayuda de Dios, podrás comprender claramente lo qué es la oración continua. Apenas entramos en su celda comenzó a hablar de nuevo:

– La oración interior continua a Jesús[5] es la invocación continua e ininterrumpida de su nombre divino, con los labios, el corazón y la inteligencia; consiste en tenerlo siempre presente en nosotros e implorar su gracia en todo tiempo y lugar, e incluso, durante el sueño. Esta invocación se expresa con las siguientes palabras: *Jesús mío, ten misericordia de mí.* Quien se acostumbra a esta plegaria, encuentra en ella tanto consuelo y siente tal necesidad de repetirla que no puede vivir sin que espontáneamente resuene en su interior. ¿Comprendes ahora lo qué es la oración continua?

– Sí, Padre. En nombre de Dios, te ruego que me enseñes como adquirir la costumbre –exclamé, pleno de alegría.

---

5. Algunos traductores utilizan: "Jesús mío" y otros "Señor Jesús o Jesucristo". Pensamos que aceptar a Jesús como el Señor es parte de la oración.

– Lee este libro. Es la *Filocalía*[6]. Contiene la descripción completa y con detalles, hecha por veinticinco Santos Padres, de la oración interior continua.

Es un libro pleno de sabiduría y santidad, tanto, que se le considera el mejor manual de la vida espiritual y contemplativa. El Padre Nicéforo[7] dijo refiriéndose a este libro: "Lleva a la salvación sin cansancio ni sudor".

– ¿Más santo y sabio que la Biblia?, pregunté.

– No, eso no. Pero explica en forma sencilla los grandes misterios que contiene la Biblia y que son incomprensibles a nuestro espíritu miope. El sol es inmenso y más brillante que las otras cosas, pero no puedes contemplarlo sin tener protegidos los ojos; debes valerte de un pedacito de vidrio oscuro que es millones de veces más pequeño que el sol.

Es mediante ese pequeño cristal que tu puedes contemplar el grandioso astro sin que sus brillantes rayos te cieguen. La Biblia es un sol deslumbrante, y este libro: *La Filocalía,* es el pequeño cristal que nos permite contemplar el astro divino. ¡Escucha! Te voy a leer un pequeño párrafo.

Abrió el libro y encontró la exhortación de san Simeón, el Nuevo Teólogo[8]:

---

6. En la introducción nos hemos referido a la *Filocalía*.
7. Se le conoce con el nombre de *El Solitario*. Fue un valioso escritor del siglo XIX. Se le atribuye la obra *Guarda del corazón*, que son textos de espiritualidad oriental.
8. Se llama Nuevo Teólogo por su fuerza en rescatar la vida mística.

–Siéntate en la soledad y quédate en completo silencio. Inclina la cabeza, cierra los ojos, respira profundo y con dulzura mientras imaginas que estás mirando tu corazón. Dirige hacia tu corazón todos los pensamientos de tu alma.

Respira y di: *Jesús mío, ten misericordia de mí. Dilo* moviendo tus labios con dulzura y desde lo más profundo de tu alma. Aleja de ti todos los demás pensamientos; ten paciencia y repítelo cuantas veces puedas.

Luego, me lo explicó nuevamente con sus propias palabras y me lo demostró con su ejemplo. Continuamos la lectura de unos párrafos de san Gregorio Sinaíta[9], de san Calixto, de san Ignacio[10] y de otros. Yo escuchaba extasiado y tratando de grabar en mi memoria todas sus palabras para poder profundizar su sentido.

Así se nos fue la noche y sin haber cerrado ni un ojo, nos fuimos al rezo de *Maitines*[11]. Después del rezo me despidió con su bendición y me pidió que volviera a visitarlo para que le contara todo y me confesara con

---

9. Oriundo de Asia Menor (siglo XVI), se le reconoce como restaurador de la tradición hesicasta y de la oración continua.
10. Se sabe que habitó, al igual que el monje anterior en el Monte Athos. Fue nombrado Patriarca de Costantinopla en el año 1397. Es uno de los autores importantes de la *Filocalía*.
11. Era costumbre, en aquella época, rezar a media noche en los monasterios.

sencillez y sinceridad, ya que la guía de un *staretz* es necesaria para ir adelante en este camino. En la iglesia sentí un gran fervor y pensaba solamente en una cosa: como llegar cuanto antes a la oración interior continua.

Pedí a Dios que me ayudase, pues me parecía difícil volver a ver al *staretz,* ya que no se podía permanecer más de dos o tres días en la hospedería del monasterio, y en los alrededores era imposible encontrar alojamiento.

Para mi felicidad me enteré de que a cuatro kilómetros del monasterio había una aldea. Me dirigía hacía allí, y Dios quiso favorecerme haciendo que encontrara lo que buscaba: un labrador me contrató para todo el verano como guardián de su huerta y me dio por habitación una cabaña de pajas.

Durante una semana y en la soledad de mi jardín, me entregué con todas mis fuerzas a aprender la oración continua, según me había indicado el *staretz.* Al principio todo parecía ir bien, pero pronto comencé a sentir aburrimiento. El cansancio y el sueño me dominaban y una densa nube de pensamientos me invadía. Entristecido por lo que me estaba pasando me fui a ver a mi guía, *el staretz.* Me recibió con mucha amabilidad y me dijo:

– Hermano mío, es la lucha del poder de las tinieblas contra ti; a nada le teme tanto el enemigo como a la oración interior. Es por eso que trata de distraerte e impedir que aprendas y progreses en la oración continua. Pero el enemigo sólo puede hacer lo que Dios le permite y Dios sólo le permite lo que es necesario. Tal vez te es necesario una prueba para tu humildad o tal vez es demasiado pronto para abrir la puerta de la oración interior. Te voy a leer lo que dice la *Filocalía* para estas situaciones.

Buscó entonces las enseñanzas del monje Nicéforo y leyó:

– Si después de un tiempo, y habiendo hecho cierto esfuerzo, no consigues dominar tu corazón en la forma que te han enseñado, haz lo que te voy a decir y, con la ayuda de Dios, encontrarás lo que buscas. Desecha todo pensamiento –eso lo puedes hacer si así lo quieres– y repite sólo las siguientes palabras: *Jesús mío, ten misericordia de mí.* Si después de cierto tiempo lo consigues, también tu corazón abrirá la puerta de la oración. Nosotros lo sabemos por experiencia porque esa es la doctrina de los Santos Padres. Aquí tienes mi rosario para que lo tomes y recites tu oración tres mil veces al día. De pie o sentado, caminando o acostado, repite sin cesar: *Jesús mío, ten misericordia de mí.* Repítelo con suavidad y despacio, pero que sean exactamente tres mil veces, sin aumentar ni disminuir el número. Dios te ayudará y así llegarás a la oración interior y continua.

Recibí esta orden con alegría y me regresé a mi cabaña. Comencé a practicar con exactitud lo que mi guía me había indicado.

Los dos primeros días me costaba mucho, pero luego se me hacía fácil y me agradaba mucho.

Apenas me detenía, sentía una imperiosa necesidad de rezar y rezar y lo hacía de buena gana, sin tener que esforzarme.

Se lo conté al anciano y, entonces, me mandó a recitar la oración seis mil veces al día y me dijo:

–Estate tranquilo. Procura solamente llenar el número de oraciones prescrito y Dios te concederá su gracia.

Durante una semana, en la soledad de mi cabaña, repetí las seis mil veces al día la oración a Jesús.

Nada me preocupaba y en lo único que pensaba era en cumplir la orden de mi *staretz*. Me acostumbré de tal manera a mi oración, que cuando me paraba un momento me parecía que algo me faltaba; o mejor, parecía que algo se me había perdido. Apenas comenzaba otra vez, me sentía libre y gozoso. Si en mi camino me encontraba con alguien, no sentía deseo de detenerme para hablar con él, porque lo único que deseaba era estar en soledad y recitar mi oración.

Hacía ya diez días que no me encontraba con mi *staretz*. Al undécimo día él mismo vino a visitarme y yo le conté como me iba. Me escuchó y después me dijo:

–Ahora ya te acostumbraste a la oración. Conserva la costumbre y fortifícala sin perder tiempo. Comienza desde hoy a recitar la oración a Jesús doce mil veces al día. Continua en tu soledad, levántate temprano, acuéstate tarde y ven cada quince días a pedirme consejo.

Así lo hice. El primer día terminé con dificultad, ya entrada la noche, mi tarea de repetir doce mil veces la oración. Al segundo día lo hice con más facilidad y mucha satisfacción. En un principio, me producía cansancio, el repetir incesantemente la oración y tenía la sensación de tener paralizadas las mandíbulas y la lengua, sentía irritada la garganta y el dedo pulgar de la mano izquierda, con el que pasaba las cuentas del rosario, lo sentía adolorido. Aunque estas sensaciones no me agradaban, yo me esforzaba por continuar rezando. Durante cinco días cumplí con fidelidad el rezo de las doce mil oraciones. Fue así como adquirí la costumbre y ya lo hacía de buena gana y también con gusto.

Un buen día me desperté musitando mi oración. Intenté rezar mis oraciones de la mañana, pero mi lengua se confundía. Toda mi ilusión se centraba, en forma instintiva, en volver a la oración a Jesús. Cuando lo hice me sentí feliz y mis labios y mi lengua pronunciaban en forma espontánea la oración. Pasé el día lleno de gozo y me sentía libre de todas las cosas; me parecía vivir en otro mundo. Cuando llegó la noche había terminado de recitar fácilmente mis doce mil oraciones. Hubiese deseado seguir recitándola, pero debía someterme a las órdenes del *staretz*.

En los días siguientes seguí rezando con gran facilidad y todo fervor mi oración. Luego fui a visitar a mi *staretz* para contarle mi nueva experiencia. Después de oírme, me dijo:

–Da gracias a Dios por concederte esa facilidad y ese gozo. Esos efectos son el fruto de un prolongado ejercicio realizado con voluntad. Sucede como con una máquina: si se le da un gran impulso a la rueda principal, la máquina sigue trabajando largo rato por sí sola; pero para que luego continue moviéndose es necesario volverla a impulsar y darle mantenimiento para que funcione.

Aquí puedes ver las facultades maravillosas que Dios le ha dado a la naturaleza sensible de los hombres sólo porque lo ama; mira cuantas sensaciones pueden producirse aún fuera del estado de gracia y en un alma pecadora que aún no se ha liberado de sus pasiones.

¡Cuál será el grado de perfección espiritual, el gozo y la felicidad que aguardará al hombre cuando Dios quiera descubrirle la oración interior y libere su alma de toda vanalidad! Es ése un estado que no se puede describir. Llegar a ese estado místico significa disfrutar por anticipado de la dulzura del cielo. Es un estado reservado a los que buscan a Dios con la sencillez de un corazón enamorado. Ahora te doy permiso para que recites tu oración cuando quieras y puedas. Cuando estés despierto, consagra todo tu tiempo a la oración, sin necesidad de llevar la cuenta de las veces que la repites; sujétate humildemente a la voluntad del Señor esperando siempre su ayuda.

Estoy seguro que no te abandonará y te indicará el justo camino.

Con estas indicaciones pasé todo el verano orando incesantemente a Jesús y sentía mi alma inundada de paz. Todo mi anhelo era dedicarme constantemente a la oración. Si me encontraba con alguna persona no sentía ningún deseo de entretenerme con ella, aun cuando sentía un afecto tan grande como si todos fueran parte de mi familia. Los apetitos de la sensualidad desaparecieron sin que yo necesitara esforzarme por apartarme de ellos; solamente me ocupaba de mi oración, que mi espíritu comenzaba a sentir y mi corazón acompañaba con suave calor. Cuando acudía a la iglesia del Monasterio, las largas misas me parecían cortas y no me cansaba[12].

Mi solitaria cabaña me parecía una sala de fiestas y no encontraba la forma de agradecer al Señor el haber dado a un pecador como yo un maestro tan sabio e iluminado. Pero no pude gozar por mucho más tiempo de las instrucciones de mi amado *staretz*, tan pleno de la sabiduría divina porque murió a finales de septiembre. Me despedí de él llorando y dándole gracias por sus paternas exhortaciones. Como bendición y recuerdo pedí su rosario y después me quedé solo. El verano había llegado a su fin y mi trabajo en el huerto llegaba al final.

12. Las misas en el Monasteiro duraban tres horas y media.

El amo me despidió y me entregó como pago dos rublos y una alforja de pan seco para el viaje. Aunque no tenía con qué vivir todo el mundo se ofrecía ante mis ojos bañado de bondad; sentía que todos me amaban. Hasta me puse a pensar qué haría con aquellos dos rublos porque ¡verdaderamente no me hacían falta! Pero me puse a pensar y se me vino a la mente que ya que mi *staretz* no vivía ya en el mundo y nadie pudiera instruirme, ¿no me convendría comprar la *Filocalía* para aprender por mí mismo cómo avanzar en el camino de la oración interior? Hice la señala de la cruz y me dirigí a una ciudad más grande, donde pregunté por la obra en todas las librerías. Finalmente la encontré pero me pidieron por ella tres rubros y yo sólo tenía dos. Estuve regateando largamente con el librero pero no quiso ceder. Por fin me dijo:

–Vete a aquella iglesia y habla con el sacristán, que tiene un libro igual pero muy viejo; tal vez él te lo venda por dos rublos.

Fui hasta donde me había indicado y, efectivamente, encontré un viejo y usado ejemplar de la *Filocalía* que pude comprar con mis dos rublos. Lo arreglé de la mejor manera que pude; lo cosí con un pedazo de tela y, junto con la Biblia, lo metí en el bolso sobre el pecho.

Desde entonces camino sin parar y rezo incesantemente la oración a Jesús, que para mí es la cosa más preciosa y dulce del mundo. A veces camino hasta setenta kilómetros en un día y no siento ningún cansancio: sólo sé que he rezado. Cuando siento mucho frío repito con más intensidad mi oración y me siento aliviado. Cuando siento hambre, invoco con más fuerza el nombre de Jesús y me olvido de mi deseo de comer. Si me siento enfermo y noto que me duele la espalda o las piernas, me concentro en la oración y el dolor desaparece. Cuando alguien me ofende, pienso solamente en la oración a Jesús, la cólera y la tristeza desaparecen y lo olvido todo.

A veces pienso que me he vuelto un poco extraño: no tengo preocupaciones, nada me causa pesar, nada de lo externo me retiene, me agrada estar siempre solo y la única necesidad que tengo es la de *orar sin cesar.* Cuando lo hago me lleno de gozo. ¡Sólo Dios sabe lo que está haciendo en mí!

Mi *staretz* diría que este sentimiento tiene una explicación natural: es el efecto de la naturaleza y la costumbre adquirida.

Todavía no me atrevo a llegar a lo profundo de la oración interior. Me considero indigno e ignorante. Espero la hora en que Dios me conceda tal gracia y estoy plenamente confiado en la oración de mi difunto *staretz.*

Sé que aún no estoy maduro para la oración interior incesante, pero por fin comprendo las palabras del Apóstol: *Orad incesantemente.*

RELATO SEGUNDO

Acompañado siempre por la oración a Jesús, peregriné por toda clase de lugares que me fortalecía y consolaba en todos los caminos y en todas las incidencias del mismo. Al fin, me pareció que sería bueno detenerme en alguna parte para encontrar una soledad mayor y estudiar la *Filocalía*. Aunque la leía siempre que tenía ocasión en las posadas, sentía la necesidad de poder dedicarme con más ahínco a su estudio, para beber en ella la doctrina verdadera de la salvación por la oración del corazón.

Por desgracia y a pesar de mis deseos, no pude encontrar en parte alguna una ocupación adecuada a mis fuerzas, pues tenía el brazo izquierdo paralizado desde mi infancia. Encontrándome imposibilitado para fijar mi residencia de modo estable, decidí peregrinar al sepulcro de san Inocencio de Irtjustj[1], en Siberia, creyendo que en las llanuras y bosques de Siberia encontraría más silencio y podría entregarme más cómodamente a la lectura y a la oración.

Después de un tiempo, sentí que mi oración había pasado de los labios al corazón. Me parecía que

1. Es uno de los santos más importantes de la Rusia moderna (1682-1731). Hombre polifacético: culto, misionero, dirigente y santo.

el corazón mismo, con sus latidos, iba diciendo las palabras de mi oración. Rítmicamente el corazón parecía decir. *1. Señor; 2. Jesús; 3. Ten misericordia de mí.* Dejé de mover los labios y estuve atento al corazón, intentando también mirar en mi interior, acordándome de la descripción que me había hecho mi *staretz*. Después sentí en mi corazón un pequeño dolor y en mi espíritu un amor tal a Jesús, que me parecía que si lo viese me arrojaría a sus pies, lo abrazaría y bañaría con mis lágrimas, y daría infinitas gracias por haberse dado a mí indigno y pecador, una gracia tan grande.

Pronto sentí en mi corazón un calor reconfortante que se extendía a mi pecho, lo que me llevó a una lectura atenta de la *Filocalía* para verificar estas sensaciones y analizar el desarrollo de mi oración. Sin este control temía caer en la ilusión y el orgullo, teniendo como gracia de Dios lo que no eran más que efectos puramente naturales, tal como me había dicho mi *staretz*. Durante la noche caminaba, y el día lo pasaba leyendo la *Filocalía* a la sombra de un árbol del bosque.

¡Cuántas cosas buenas, y nuevas, aprendí con esta lectura! Me embriagaban y me hacían experimentar una alegría inimaginable. Ciertamente, algunos pasajes continuaban siendo indescifrables para mi limitado espíritu; pero la oración me aclaraba lo que no comprendía en la lectura. A veces veía en sueños a mi *staretz*, quien me aclaraba las cosas, inclinando mi espíritu a la humanidad.

En este estado pasé más de dos meses durante el verano. Caminaba por los bosques, bordeando el camino carretero. Cuando llegaba a algún pueblo, sólo pedía unos mendrugos de pan duro, un puñado de sal y agua para llenar mi calabaza. Con estas provisiones me ponía de nuevos en camino, peregrinando centenares de kilómetros.

Aquel verano, y quizá debido a mis pecados, tuve numerosas tentaciones. Tal vez eran necesarias para avanzar en mi vida.

Un día, cuando caía la tarde, llegué al borde del camino carretero y se me acercaron dos hombres, que me parecieron soldados, y me pidieron dinero. Cuando les respondí que no tenía ni un centavo, no me creyeron y me contestaron con descortesía:

– "¡Mentiroso! ¡Los peregrinos recogen siempre mucho dinero!"

– "No discutas con él", dijo uno de ellos, al tiempo que me propinaba tal garrotazo en la cabeza, que me dejó sin sentido.

No sé cuánto tiempo permanecí inconsciente, pero cuando volví en mí, me hallé caído junto al camino despojado de todo. Mi alforja había desaparecido, quedando sólo las cuerdas que la ligaban y que habían sido cortadas. Gracias a Dios no habían robado mi pasaporte, que yo guardaba en mi viejo gorro, a fin de tenerlo más a mano y poder mostrarlo tan pronto como me lo pidiesen. Llorando amargamente me puse en pie, no tanto por el dolor cuanto por mis libros: la Biblia y la Filocalía. Día y noche no hacía más que lamentarme y decir:

– "¿Dónde está ahora mi Biblia, la que tenía conmigo desde mi niñez? ¿Dónde la *Filocalía* de donde sacaba tantas enseñanzas y consuelo? Desgraciado de mí: he perdido mi tesoro antes de haber podido disfrutar de él. Valdría más morir, que vivir sin este alimento espiritual. ¡Jamás podré rescatarlos!"

Durante dos días, apenas pude caminar. Estaba hundido de pena. Al tercer día, sin fuerzas, caí detrás de un matorral y me quedé dormido. Soñé que estaba en el monasterio, en celda de mi *staretz*, llorando mi tesoro perdido. El *staretz* trataba de consolarme con estas palabras:

– "Que esta sea una lección para ti. Hay que vivir desprendido de las cosas de la tierra para poder ir más libremente hacia el cielo. Esto te sucede para que no estés atado a los gustos espirituales. Dios quiere que el cristiano renuncie a todo lo que le puede atar para quedar totalmente libre al servicio de su voluntad. Todo lo que él hace, es para bien de sus elegidos. Él *quiere que todos los hombres se salven* (1Tm 2,4). Ten valor y cree que él les dará, al mismo tiempo que la tentación, los medios para resistir (1Co 10,13). Pronto, muy pronto recibirás el consuelo que sobrepasará la pena".

Con esta impresión me desperté. Sentí mis fuerzas renovadas, y mi alma llena de paz y de luz. "¡Que se haga la voluntad del Señor!", me dije. Me levanté, me santigüé y seguí mi camino. Sentí que la oración volvía a resonar en mi corazón como antes, y durante tres días caminé tranquilamente.

De pronto, divisé en el camino una caravana de prisioneros que iba bajo escolta. Reconocí entre ellos a los dos hombres que me habían despojado y, como iban al borde de la columna, me arrojé a sus pies y les supliqué que me dijeran qué habían hecho con mis libros. Al principio, fingieron no reconocerme, pero luego uno de ellos dijo:

– "Si nos das algo, te diremos dónde están tus libros. Danos un rublo".

Les juré que si conseguía hacerme con un rublo se lo daría. "Tomad, si queréis, mi pasaporte como prenda".

Me dijeron que mis libros se encontraban en los carros con otras cosas robadas, de las que habían sido despojados.

– "¿Cómo puedo conseguirlos?"

– "Díselo al jefe que nos conduce".

Corrí donde estaba el jefe y le expliqué con detalle lo que ocurría. Mientras hablaba, me preguntó si yo sabía leer.

– "No sólo leer –le dije–, sino también escribir. En la Biblia hay una inscripción de mi puño, que demuestra que me pertenece. Aquí está mi pasaporte, con mi nombre y apellido"...

El jefe me dijo:

–"Esos bandidos son desertores. Vivían en una cabaña y robaban a los transeúntes. Un correo, dándose cuenta de que querían robarle su *troika*[2], les había echado mano. Te devolveré los libros si están allí, pero es necesario que vengas con nosotros hasta el final de esta etapa. Nos quedan sólo cuatro kilómetros y comprenderás que no puedo detener todo el convoy por ti".

Acepté encantado y caminé al lado del jefe, que iba a caballo. Durante el camino charlamos amigablemente. Me pareció un hombre bueno y honrado; ya de cierta edad. Me preguntó quién era yo, de dónde venía y adónde iba. Y le dije la verdad. Así llegamos al final de la etapa, que me había indicado. Fue a buscar mis libros y me los entregó, diciendo:

– "¿Adónde quieres ir ahora? Es de noche. Tendrás que quedarte con nosotros".

Y me quedé. Estaba feliz de haber encontrado mis libros. No sabía cómo darle gracias a Dios por ello. Los estreché contra mi corazón y permanecí así largo rato. Hasta que las manos se me comenzaron a entumecer. Lloré de alegría y mi corazón saltaba de gozo. El joven me miró y me dijo:

---

2. Carruaje tirado por tres caballerías.

– "Se ve que estimas mucho la Biblia".

La alegría no me dejaba ni siquiera responder. Sólo podía llorar. Él prosiguió:

– "También yo, hermano, leo regularmente el Evangelio todos los días".

Y entreabriendo su uniforme sacó uno pequeño, impreso en Kiev, con tapas de plata.

– "Siéntate, me dijo, y te contaré cómo he llegado a esta situación".

Ordenó que nos sirvieran la cena, y comenzó su relato:

– "Desde mi juventud serví en el ejército, pero jamás me destinaron a una guarnición. Conocía perfectamente mi trabajo y mis jefes me apreciaban muchísimo. Era joven, como todos mis compañeros. Para mi desgracia, comencé a beber y de tal manera me dominaba esta pasión, que casi siempre estaba borracho. Cuando no bebía era un excelente oficial; pero en cuanto probaba el vino, ya no podía hacer nada durante seis semanas. La cama era mi destino. Me soportaron así durante mucho tiempo. Pero un día, después de haber bebido dije una insolencia a mi jefe, me degradaron y me mandaron a una lejana guarnición por tres años; advirtiéndome que si no dejaba la bebida, los castigos serían mucho más graves. Traté de vencerme; pero todo fue inútil. Ensayé diversos remedios, pero en vano. Por ello decidieron enviarme a los batallones de disciplina.

Cuando me lo comunicaron, no sabía qué hacer. Un día, estaba sentado en la cuadra pensando en todo esto, cuando vi llegar a un monje, que pedía limosna para una iglesia. Cada uno daba lo que podía. Al acercarse a mí, me preguntó:

– ¿Cuál es el motivo de tu tristeza?

Le conté mis historia y él, compadeciéndose, me dijo:

– "Esto mismo le pasó a mi hermano y se curó con este remedio: su padre espiritual le dio un evangelio y le ordenó que leyese un capítulo cada vez que tuviera ganas de beber. Si le volvía el deseo, entonces debía leer el capítulo siguiente. Mi hermano puso en práctica el consejo del padre espiritual y, al cabo de algún tiempo, dejó de beber. Haz tú lo mismo, y muy pronto verás el resultado. Yo tengo un evangelio, y, si quieres, te lo puedo traer".

A estas palabras respondí:

– "¿Qué quieres que logre el evangelio cuando no lo hemos logrado ni yo ni los médicos? (Yo hablaba así, porque nunca había leído el evangelio)".

– "No digas eso, me respondió el monje. Te aseguro que lo conseguirás".

Al día siguiente, el monje me trajo el evangelio. Lo abrí, lo miré, leí algunas líneas, y le dije:

– "No lo quiero. No estoy acostumbrado al eslavo y no entiendo nada".

Pero el monje me decía que las palabras del evangelio obran por sí mismas, porque son palabras de Dios.

– "No interesa si no entiendes, prosiguió. Tú lee con atención. Un santo dijo que si tú no entiendes la palabra de Dios, los malos espíritus sí la entienden, y tiemblan. Y tu embriaguez viene de los malos espíritus. Y te diré todavía más. San Juan Crisóstomo asegura que hasta el lugar donde se guardan las Escrituras aterra a los malos espíritus y es un obstáculo para sus intenciones".

No me acuerdo bien qué es lo que le respondí al monje. Pero compré el evangelio, lo guardé en un cofrecillo y allí lo dejé olvidado. Algún tiempo más tarde me vino un deseo loco de beber. Abrí el cofrecillo donde guardaba el dinero para sacarlo y encaminarme a la taberna. Pero mis ojos se encontraron con el evangelio. Me vino a la memoria todo lo que me había dicho el monje, lo abrí y comencé a leer el capítulo primero según san Mateo. Lo leí de cabo a rabo sin entender nada, pero iba recordando lo que me dijo el monje: "No importa que no lo entiendas. Tú léelo con atención". Y así me animé a leer el capítulo siguiente. Esta lectura me pareció ya un poco más clara, y me puse a leer el capítulo tercero. En ello estaba cuando comenzaron a sonar las campanas del cuartel, señal de que desde entonces no se podía ya salir. Y así fue como no bebí en aquella ocasión.

A la mañana siguiente estaba decidido a salir a comprar algo de alcohol, pero me dije a mí mismo: "¿Y si leyera otro capítulo del evangelio? Veamos". Lo leí, y no fui a la taberna. De nuevo tuve deseos de ir a la taberna; volví a leer el evangelio, y se desvaneció el deseo. Poco a poco fui sintiéndome más fuerte. Esto me animó. Cuando terminé la lectura de los cuatro evangelios, mi pasión por el vino había desaparecido. Han pasado ya veinte años desde que tomé la última gota de alcohol. Todo el mundo estaba asombrado de mi cambio, y al cabo de tres años fui admitido de nuevo en mi rango. Ascendí y llegué al grado de capitán. Me casé y tuve suerte con mi esposa. Ahora tenemos algún dinero y, gracias a Dios, vivimos una vida desahogada. Ayudamos a los pobres en lo que podemos, y acogemos a los peregrinos. Tengo un hijo, que es ya oficial, y es un muchacho excelente.

Cuando logré vencer el alcoholismo prometí leer el evangelio todos los días de mi vida, sin admitir disculpa alguna. Y lo estoy cumpliendo. Cuando estoy cansado por el trabajo, me acuesto y pido a mi mujer a mi hijo, que me lean el evangelio, y así cumplo mi promesa. En acción de gracias he hecho encuadernar en plata este ejemplar del evangelio, que llevo siempre junto a mi pecho".

Escuché gozoso el relato del capitán, y le dije:

– “Yo conozco un caso muy parecido. En una fábrica de mi pueblo había un obrero, excelente persona y buen conocedor de su oficio. Por desgracia, adquirió la costumbre de beber y emborracharse. Un hombre piadoso le aconsejó que cada vez que sintiese la tentación de beber rezarse treinta y tres veces la oración a Jesús, en honor de la Trinidad y en recuerdo de los treinta y tres años de vida mortal de Jesucristo. El obrero lo hizo así, y en poco tiempo logró dejar de beber. Más aún: a los tres años entró en un monasterio”.

– “¿Qué pensáis que es mejor” me preguntó el capitán, “la oración a Jesús o el evangelio?”

– “En el fondo es lo mismo”, le respondí. “Evangelio está concentrado en la oración a Jesús, pues el nombre divino de Jesucristo encierra todas las verdades evangélicas. Los Santos Padres aseguran que la oración a Jesús es el compendio del evangelio”.

Luego rezamos las oraciones y el capitán se puso a leer el capítulo primero de san Marcos, mientras yo escuchaba y oraba en mi corazón. Una vez que hubo terminado, hacia las dos de la madrugada, nos retiramos a dormir.

Me levanté muy temprano, cuando todos dormían aún. Tomé de nuevo en mis manos la *Filocalía* y me sumergí en su lectura. ¡Con qué alegría la abrí! Me parecía como si de nuevo hubiera encontrado a mi padre espiritual después de una prolongada ausencia, o como si un amigo hubiera muerto y luego resucitado. La viese con cariño y agradecía a Dios el haberla recobrado.

La abría por la segunda parte y comencé a leerla a Teolipto de Filadelfia[3]. Me sorprendió lo que dice: que una misma persona puede realizar tres cosas al mismo tiempo: "Cuando estés sentado a la mesa, dice él, alimenta tu cuerpo, escucha la lectura y ora en el corazón". Pero acordándome de lo que habíamos comentado el día anterior, comprendió el sentido de estas palabras y cómo la mente y el corazón son dos cosas distintas.

Cuando se levantó el capitán, le agradecí sus atenciones y me despedí. Él me sirvió una taza de té, me dio un rublo de plata, y yo emprendí mi camino.

Apenas había caminado durante un kilómetro cuando me acordé de que había prometido un rublo a los soldados. Pensé que este rublo me lo había mandado Dios milagrosamente para poder cumplir mi promesa.

"¿Debía dárselo o no?". "Por una parte", me decía a mí mismo, "esos soldados me golpearon y me robaron, y mi rublo no les va a servir de nada, pues están presos". Pero por otra, recordaba lo que dice la Biblia: *si tu enemigo tiene hambre, dale de comer* (Rm 12,20). Y Jesucristo enseña: *amen a sus enemi-*

3. Vivió en la segunda mitad del siglo XIII.

gos (Mt 5,44). Y también: *al que te arma pleito por la ropa, entrégale también el manto* (Mt 5,40). Convencido con estas reflexiones, me volví para atrás hasta llegar al lugar donde el convoy estaba ya preparado para partir. Me acerqué a los dos malhechores y les di mi rublo, al tiempo que les decía:

– "Orad y hace penitencia: Jesucristo os ama y no os abandonará".

Y con estas palabras, retomé la marcha.

Después de haber andado unos cinco kilómetros por camino carretero, me decidí a tomar una senda que lo flanqueaba para poder estar más solo y dedicarme así mejor a la lectura. Anduve largo tiempo por el bosque, sin apenas encontrar aldeas en el trayecto. Con frecuencia me quedaba todo el día en el bosque leyendo la *Filocalía* y aprendiendo preciosas enseñanzas de la misma. Mi corazón ansiaba unirse a Dios por la oración interior que me esforzaba en comprender mejor y en discernir apoyado en la *Filocalía. Me* entristecía, sin embargo, no haber encontrado un lugar estable donde poder dedicarme con mayor sosiego a la lectura.

También leía la Biblia y notaba que comenzaba a entenderla un poco mejor, porque cada vez eran menos los pasajes oscuros que encontraba. Tenían razón los Santos Padres cuando decían que la *Filocalía* es la llave que abre el entendimiento de los misterios de la Escritura. Con ayuda de la *Filocalía* comienzo a entender mejor lo oculto de la Escritura. Descubrí que significaba *el nombre interior en el fondo del corazón; la verdadera oración; la adoración en Espíritu; el Reino en nuestro interior; la intercesión del Espíritu Santo...* Comprendí también el sentido de expresiones como éstas: *vosotros estáis en mí; dame tu corazón; revestirse de Cristo; las bodas del Espíritu con los hombres; la invocación ¡Abba, Padre!*, y otras muchas expresiones. Al mismo tiempo, las cosas que me rodeaban parecía como que se transformaban con la oración: los árboles, la hierba, los pájaros, la tierra, el aire, la luz... Todo parecía decirme que existían para mí. Me parecía que daban testimonio de que Dios las había creado para el hombre por amor. Así comprendí lo que la *Filocalía* llama el "lenguaje de la creación" y la posibilidad de hablar de Dios con la misma creación.

Seguí caminando durante largo tiempo y vine a dar a un lugar tan salvaje, que durante tres días no di con rastro alguno de civilización. Se me había acabado el pan y me preguntaba qué podría hacer para no morir de hambre. Comencé a orar en mi corazón, se desvaneció mi preocupación y me entregué a la voluntad de Dios, quedando alegre y tranquilo.

Había avanzado un poco más y he aquí que mientras atravesaba el bosque vi salir del mismo a un perro que venía en mi dirección. Lo llamé. Se me acercó y me puse a acariciarle. Me dije:

–"¡Qué grande es Dios! Seguramente habrá un rebaño en el bosque y éste es el perro pastor... O quizá se trate del perro de un cazador que ha venido hasta aquí persiguiendo la presa. Le pediré un trozo de pan, ya que hace dos días que no como, o le preguntaré si queda cerca algún poblado".

El perro, después de haber jugado unos momentos en mi alrededor, viendo que no le daba nada, se volvió por donde había venido. Lo seguí, y a distancia de unos doscientos metros lo vi a través de los árboles, junto a una madriguera y ladrando.

Vi entonces aparecer por entre los árboles a un campesino de mediana edad, delgado y pálido. Me preguntó cómo yo había llegado hasta allí y yo, a mi vez, le pregunté qué hacía él en un lugar tan solitario. Entablamos así una amigable conversación y me invitó a entrar en su cabaña. Me explicó que era el guardabosques que vigilaba aquella forestal hasta que la talasen. Me ofreció pan y sal y conversamos amigablemente.

–"¡Te envidio la vida solitaria que llevas!", le dije. "Es una vida muy distinta de la mía, siempre peregrinando de un lado para otro, en contacto siempre con gentes".

–"Puedes quedarte si quieres", me dijo. "Aquí cerca está la cabaña del antiguo guardabosques. Está medio destruida, pero vale para el verano. Sin duda tendrá tu pasaporte en regla y tenemos pan para los dos. Me lo traen del pueblo cada ocho días. Ahí adelante hay una fuente que no se seca nunca. Yo, desde hace diez años, sólo como pan y bebo agua. En otoño, cuando hayan terminado las faenas del campo, vendrán doscientos trabajadores a talar el bosque. Entonces habrá acabado mi estancia aquí y... también la tuya".

Yo no cabía en mí de alegría. Caía a sus pies y daba gracias a Dios por tener tanta bondad conmigo. Todo lo que había deseado, lo encontraba aquí de golpe. Hasta el otoño faltaban aún cuatro meses, y durante este tiempo podría gozar de la quietud y soledad anhelada, dedicándome de lleno a la lectura de la *Filocalía*. Me decidí, pues, a quedarme. Conversamos, y el guardabosques me contó su vida:

– "En mi pueblo", comenzó diciendo, "yo no era un cualquiera". Tenía el oficio de encalador y vivía con desahogo, aunque no sin pecar. Engañaba con frecuencia a los clientes y juraba sin motivo alguno. Había en ese pueblo un *diachok*[4] que tenía un libro muy antiguo, que trataba sobre el juicio final. Lo iba leyendo de casa en casa, tarea por la que le daban un poco de dinero. Venía también a mi casa. Normalmente le daba diez monedas; pero el día que le añadía un vaso de aguardiente era capaz de estarse leyendo hasta la madrugada. En cierto momento, mientras él

4. Servidor del canto en el culto litúrgico.

leía y yo trabajaba, leyó un pasaje sobre las torturas del infierno y la resurrección de los muertos: cómo Dios juzgará, los ángeles tocarán sus trompetas, qué fuego y tortura habrá y cómo los gusanos devorarán a los condenados. Sentí entonces un terror espantoso y me dije interiormente: "¿Cómo lograré escapar a estos tormentos? ¿Cómo podré redimir y salvar mi alma?" Reflexioné largamente y decidí abandonar mi oficio. Vendí mi casa, me vine aquí como guardabosques sin pedir otro salario que un poco de pan, algo con que vestirme y unas velas que encender durante mis rezos.

Hace ya diez años que vivo así, ayunando a pan y agua. Me levanto al canto del gallo y rezo mis oraciones ante siete cirios que enciendo a las santas imágenes. Cuando salgo durante el día a inspeccionar el bosque, llevo sobre mi cuerpo cadenas que pesan al menos treinta libras. No juro, no bebo, no fumo, no discuto, no conozco mujeres.

Al principio me sentía feliz. Poco a poco me han ido asaltando pensamientos de abandono. ¡No sé qué será de mí, ni si lograré redimir mis pecados! Esta vida es muy dura. Además: ¿será cierto lo que decía aquel libro? ¿Cómo puede resucitar un muerto? Nadie ha vuelto de allá y los muertos se convierten en polvo. A lo mejor ese libro ha sido escrito por los popes o los señores para darnos miedo y mantenernos sumisos. ¿Y si nos torturamos ahora en vano? ¿Y si no existiese la otra vida? ¿No será preferible pasarlo bien aquí y ahora? Todas estas ideas me persiguen, y no sé si no me harán volver a mi antiguo oficio".

Sentí lástima de él, mientras pensaba: "¡Y luego dicen que los librepensadores se encuentran sólo entre los sabios e intelectuales! ¡También pueden caer en la incredulidad los sencillos campesinos! El reino de las tinieblas abre sus puertas a todos y quizá le sea más fácil atrapar a la gente sencilla. Hay, pues, que armarse fuertemente con la palabra de Dios a fin de poder al enemigo[5].

Para responder al hermano, y fortalecer su fe, saqué de mi alforja la *Filocalía* y la abrí por el capítulo 109, del bienaventurado Hesiquio. Se lo leí y le expliqué que es inútil querer dejar de pecar sólo por temor al castigo; que el alma no puede librarse de pensamientos culpables si no es por la oración interior. Los Santos Padres comparan la actitud del que sigue el camino del esfuerzo, incluso no por temor sino por ganar el cielo, con la de un mercenario; dicen que obrar por temor es cosa de esclavos, y obrar por recompensa es cosa de mercenarios. Dios quiere que

5. Estas preguntas las conoce ya el Nuevo Testamento. En Atenas, centro de la cultura griega, las oyó san Pablo. Surgirán siempre en la humanidad y en la religión. Mejor que despreciarlas como absurdas, o rechazarlas como tentaciones es buscar respuestas para nosotros y para los demás. Es lo que hace el peregrino.

vivamos y vayamos a él como un hijo, quiere que nuestros móviles sean el amor y el fervor, y quiere que gocemos uniéndonos a él con el alma y el corazón.

– "Podrás hacer toda la penitencia imaginable", le dije, "pero si no tienes a Dios en tu alma y la oración a Jesús en tu corazón, no encontrarás la paz, y estarás siempre expuesto a caer de nuevo. Disponte, pues, a rezar la oración a Jesús. En esta soledad te resultará fácil y muy pronto notarás los efectos positivos. Desaparecerán los malos pensamientos, y el amor hará crecer tu fe. Ya no te parecerá un cuento que los muertos resuciten, ni temerás el juicio final. Tú mismo te asombrarás de la libertad y gozo de tu corazón. Nada te atormentará".

Luego le expliqué, lo mejor que pude, la oración a Jesús, tal como lo hacen los Santos Padres. Aceptó y vi cómo disminuía su turbación. Yo, por mi parte, me retiré a la cabaña que me había destinado.

¡Qué gozo y consuelo sentí, Dios mío, al traspasar el umbral de la cabaña! Parecía como si entrase en un palacio magnífico, lleno de alegría y deleites. Di gracias a Dios con lágrimas en los ojos, me dije: "En esta soledad y calma puedo vivir mi vocación y pedir a Dios que me ilumine". Comencé a leer de nuevo la *Filocalía,* desde el principio hasta el final, y me fui dando cuenta de la sabiduría, santidad y profundidad que encierra. Sinembargo, la presencia de tantos temas me distraía de mi objeto y deseo central: la oración a Jesús. Tampoco lograba comprender perfectamente las palabras del Apóstol: *"Aspiren a los dones más preciosos"* (1Co 12,31); y también: *"No apaguen el Espíritu"* (1Ts 5,19).

Reflexioné largamente sin saber qué hacer. Me dije: "Cansaré a Dios con mis oraciones, hasta que él me ilumine". Así pasé todo un día orando, sin dejarlo ni un momento. Me tranquilicé, y me quedé dormido. Entonces soñé que me encontraba en la celda de mi *staretz* quien me explicaba la *Filocalía.*

–"Es un libro lleno de sabiduría. Es un tesoro misterioso, que enseña los secretos de Dios; no todos pueden entenderlo, pero cada uno recibe de él lo que necesita: profundidad los profundos, sencillez los sencillos. Por eso, los menos instruidos no deben leer los capítulos de este libro uno después de otro, en el orden en que se encuentran aquí. Los no instruidos, que, sin embargo, quieren aprender en este libro la oración interior, deben leerla siguiendo este orden: debe comenzar por el libro del monje Nicéforo, en la segunda parte; después, el libro de Gregorio el Sinaíta, exceptuados los capítulos breves; en tercer lugar, las tres formas de oración de Simeón el Nuevo Teólogo y su tratado sobre la fe; por último, el libro de Calixto e Ignacio. En estos escritos se encuentra la enseñanza completa sobre la oración interior del corazón, al alcance de todos. Y si quieres un texto más accesible todavía, abre por la cuarta parte, y lee lo que dice Calixto, patriarca de Constantinopla, sobre el progreso de la oración".

En sueños trataba de encontrar el texto de Calixto, sin lograrlo. Entonces mi *staretz* pasó unas páginas y dijo: "Aquí está; te lo señalaré". Levantó del sueño un trozo de carbón, y trazó una señal en el margen. Yo escuchaba con mucha atención las palabras de mi *staretz* intentando grabarlas al detalle y fuertemente en mi memoria.

Cuando me desperté, aún era de noche. Continué acostado, mientras intentaba repetir las palabras de mi *staretz*. Luego comencé a decirme: "Quién sabe si se trataba en efecto de mi difunto *staretz*, o era mi imaginación, llevada por el continuo pensamiento en la *Filocalía* y en mí *staretz*.

Me levanté cuando comenzaba a clarear. Y ¡cuál no sería mi sorpresa cuando vi, sobre la piedra que hacía las veces de mesa en mi cabaña, la *Filocalía* abierta por la página que me había indicado mi *staretz* y una señal al margen! ¡Incluso el trozo de carbón estaba al lado del libro!

No sabía como reaccionar, pues estaba seguro de que la tarde anterior el libro no estaba allí. Yo lo había colocado, cerrado, debajo de la almohada, sin señal alguna donde ahora aparecía. Esto me hizo creer que la aparición había sido real y me confirmó la santidad de mi venerado *staretz*.

Comencé a leer la *Filocalía* según el orden que me había indicado. Primero una, y después otra vez, noté cómo la lectura aumentaba en mí el deseo de ponerlo por obra. Comprendí claramente lo que era la oración interior, cómo se podía conseguir, y cuáles eran sus efectos y cómo llenaba el cuerpo y el espíritu; y entendía también cómo poder distinguir si estos efectos vienen de Dios, de la naturaleza o de la tentación[6].

Comencé mirando hacia el corazón, como enseña Simeón el Nuevo Teólogo. Cerré los ojos, concentrando todas las fuerzas de la imaginación en el corazón. Este ejercicio me duraba media hora, y lo repetí varias veces. Al principio sólo sentía una impresión de oscuridad; pero no tardó en aparecer mi corazón y sentir sus movimientos profundos. Luego traté de sincronizarlos con la oración a Jesús, como lo enseñan los Santos Padres Gregorio el Sinaíta, Calixto e Ignacio. Aspirando el aire, ajaba la mirada al corazón y decía: *Señor Jesús.* Y luego, expirando, continuaba: *ten misericordia de mí*[7]. Lo fui repitien-

---

6. Otra actitud del peregrino: buscar en los libros la explicación de posibles *orígenes* de muchas de nuestras experiencias. Sensata actitud. Supone no encerrarse en sí mismo.
7. Es una de las *formas* que propone el peregrino para familiarzarse con esta oración. El hecho de que esta *forma* no sea la *única,* quiere decir que puede haber otras *muchas.* Lo importante, para el peregrino, es *familiarizarse* con esta oración.

do, primero durante media hora, después durante una hora, y posteriormente, sin interrupción. Cuando se me hacía difícil, o sentía pereza o fatiga, abría de nuevo la *Filocalía*, y leía en seguida los puntos que trataban de la oración interior, y de nuevo sentía ganas de practicarla.

Después de tres semanas comencé a sentir un dolor en el corazón, pero acompañado de una alegría, fervor y paz grandes. Esto me dio más fuerza para intensificar la oración; dominaba mis pensamientos, sentí un gran gozo y parecía como si mi cuerpo hubiera perdido la ley de la gravedad. Me veía arrebatado y transformado. Sentía un amor ardiente por la persona de Jesús y por toda la creación. A veces lloraba de agradecimiento a Dios, que había tenido realmente misericordia de mí. A veces se iluminaba mi pobre entendimiento, y comprendía lo que en otros momentos me había parecido tan oscuro. Otras veces mi corazón se hacía eco de un sentido particular de presencia. Con sólo pronunciar el nombre de Jesús, me sentía feliz. Entonces comprendí el significado de estas palabras: *El Reino de Dios está en medio de ustedes* (Lc 17,21).

En mi observación pude notar que los efectos de la oración interior seguían tres direcciones: el espíritu, los sentidos, la inteligencia. En el espíritu sentía la dulzura del amor de Dios, la paz interior, el vuelo del espíritu, la limpieza de los pensamientos, el resplandor de la idea de Dios; en los sentidos, un agradable calor en el corazón, un bienestar generalizado, la alegría exterior, la agilidad, la serenidad en las enfermedades o en las penas; en la inteligencia, iluminación en la razón, comprensión de la Sagrada Escritura, entendimiento de la creación, rechazo de la vanidad, nuevo concepto de la santidad y de la vida interior, certeza de la cercanía de Dios y de su amor.

Después de cinco meses en esta soledad y con esta felicidad, me acostumbré de tal manera a la oración interior, que la practicaba ininterrumpidamente; hasta que fui notando que ella misma brotaba sin trabajo de mi parte. La sentía no sólo cuando estaba despierto, sino también durante el sueño, sin interrupción alguna. Mi alma daba continuas gracias a Dios, mientras mi espíritu exultaba de gozo incesante.

Llegó el tiempo de la tala del bosque, comenzaron a llegar los obreros y tuve que dejar mi cabaña. Di las gracias al guardabosques, recé una oración, besé el suelo en que el Señor quiso manifestarme su bondad, cargué la alforja sobre los hombros, y partí.

Peregriné largo tiempo y por lugares diferentes hasta llegar a Irkutsk. La oración interior del corazón fue mi compañera y consuelo a lo largo de la peregrinación. Nada me la impedía, ni las ocupaciones, ni las circunstancias exteriores. La misma oración parecía ayudarme a resolver los problemas que se me presentaban. Cuando leía o escuchaba, la oración seguía manando del interior del corazón. Parecía como si se desdoblase mi personalidad o hubiese dos almas en mí, una que escuchaba y otra que oraba. No podía menos de exclamar: *Señor, ¡qué numerosas son tus obras! Tú las hiciste a todas sabiamente* (Sal 104,24).

En mi camino encontré de todo. Si tuviera que contarlo, no acabaría en muchos días. Por ejemplo: una tarde de invierno, mientras atravesaba un bosque para pasar la noche en una aldea a dos kilómetros de allí, fui acometido por un lobo, que saltó sobre mí. No teniendo en las manos más que el rosario de mi *staretz*[8], golpeé con él al animal. El rosario se enroscó en el cuello del lobo y éste dio un salto pero quedó enredado en un matorral de espinos del que no se podía librar, porque el rosario le ahogaba. Hice la señal de la cruz y me adelanté a soltar al lobo. Temía que si se soltaba él solo, huiría llevando consigo el rosario de mi *staretz*. En efecto, nada más acercarme, agarré el rosario con la mano, el lobo lo rompió y huyó. Yo di gracias a Dios y pensando en mi difunto *staretz* pude llegar sano y salvo a la aldea, donde pude pasar la noche.

Al entrar en la posada vi a dos viajeros que tomaban el té. Uno era ya mayor; el otro, de mediana

8. Estos rosarios eran cordones, generalmente de lana. Los nudos hacían la función de nuestras cuentas.

edad y corpulento. Los dos parecían de buena condición social. Pregunté al campesino que cuidaba sus caballos y me contestó que el mayor era maestro, y el otro escribano del juzgado civil, ambos de origen noble. Iban a la feria, veinte kilómetros más adelante.

Después de haber descansado un poco, pedí a la mesonera hilo y aguja, me acerqué a la luz, y me puse a coser mi rosario. El más joven de los dos caballeros me dijo con sorna:

– "¡Seguramente has roto el rosario de tanto rezar!"

– "No", le respondí. "No fui yo. Fue un lobo".

– "¡Ah!", respondió en el mismo tono: "¡también rezan los lobos!"

Yo les conté detalladamente lo sucedido y por qué quería tanto aquel rosario. El escribano se echó a reír y dijo:

– "Siempre les suceden los milagros a los mismos, a los tontos. Los movimientos del lobo fueron normales. No hay que creer en tanto milagro".

Pero el maestro comenzó a discutir con él:

– "No juzguéis a la ligera[9]. Para mí, en ese suceso se revelan dos mundo: el visible y el invisible, el sensible y el espiritual".

9. El peregrino intimará con el maestro. Este no es peregrino, pero eso no impide intimar. Escuchará con atención sus palabras y explicaciones. Estas en concreto: no hay que juzgar a la ligera (se esté o no de acuerdo con su razonamiento concreto). Los

– "¿Cómo es eso?", preguntó el escribano.

– "Recordarás lo que aprendiste en la catequesis. Recordarás que cuando el primer hombre, Adán, estaba en estado de inocencia, todos los animales le obedecían y se acercaban a él sin temor alguno. Y Adán les ponía nombre a todos. El *staretz,* a quien perteneció el rosario, era un santo. ¿Qué quiere decir eso? Pues significa la vuelta al primitivo estado de inocencia, porque cuando el alma se santifica, se santifica también el cuerpo. El rosario del *staretz,* por el contacto continuado con sus manos, estaba penetrado de la fuerza del primer hombre antes de la caída en el pecado. Y los animales sienten esta fuerza, pues la nariz es para ellos el órgano más importante. He aquí la explicación del misterio".

– "Para vosotros, los sabios", dijo el escribiente, "sólo existen esas historias raras. Nosotros, los simples, tenemos otro mundo muy distinto. A nosotros lo que nos da fuerza es un buen vaso de aguardiente". Lo decía mientras se iba al armario en busca de vodka.

– "Allá tú", dijo el maestro con brevedad. "Pero déjanos a nosotros".

---

verdaderos espirituales se han llevado siempre bien con los letrados. "Buen letrado", dirá santa Teresa de Jesús, "nunca me engañó". En cambio los visionarios, siempre se llevaron mal con los letrados. Temían que éstos, orgullosos según ellos, les quitasen la razón. Y los visionarios lo que quieren es eso: tener razón; no saber si es verdadera o falsa su visión.

Animado por las palabras del maestro, le conté el sueño de la aparición de mi *staretz* y la señal dejada en el margen de mi libro, la *Filocalía*.

El maestro escuchó con atención el relato, mientras el escribiente murmuraba entre dientes: "No cabe duda: los que están todo el día con la Biblia, pierden la cabeza. ¿Quién va a ocuparse durante la noche de tiznar un libro? Te quedaste dormido, cayó el libro y se manchó. ¡Eso fue todo el milagro! Todos los pillos sois iguales".

Finalmente el escribano se durmió, saqué mi libro de la alforja, y se lo enseñé al maestro.

– "¡Lo que me sorprende", le dije, "es cómo un alma incorpórea pueda agarrar un carbón y escribir...!"

El maestro miró la marca y dijo:

– "Este es el misterio de los espíritus. Tiene su explicación. Cuando los espíritus se aparecen bajo forma corporal, su cuerpo está compuesto de luz y aire. Y como el aire se mueve hacia adelante y hacia atrás, el ama que está revestida de él puede también moverse y realizar diversos actos".

Me pidió el libro, lo abrió por el discurso de Simeón el Nuevo Teólogo y dijo:

– "Es un libro de teología, que desconozco".

– "Este libro", le expliqué, "habla casi únicamente de la oración interior del corazón al nombre de Jesús. Está descrita por veinticinco Padres".

– "¡Ah, la oración del corazón!", dijo. "Yo también sé algo de eso".

Me incliné hacia él y le rogué que, por favor, me dijese algo sobre la oración interior.

– "El Nuevo Testamento", comenzó, "dice que *toda la creación espera ansiosamente que los hijos de Dios salgan a la luz y suspira por ser liberada de la vanidad de este mundo* (Cf Rm 8,19-20). Pues bien, este misterioso suspirar de la creación es la oración interior. No es necesario aprenderla; la llevamos dentro, es innata a nosotros".

– "Pero... ¿qué tenemos que hacer para descubrirla, para sentirla en el corazón?", le pregunté. "¿Cómo hacer para comprenderla con la inteligencia, abrazarla con la voluntad, alegrándonos, iluminándonos y enseñándonos el camino de la eterna salvación?"

– "No sé si los libros de teología dirán algo al respecto", contestó el maestro.

– "Aquí está todo explicado", respondí mostrándole el libro.

El maestro tomó nota de la *Filocalía*, y dijo:

– "Encargaré en seguida este libro a Tobolsk y lo leeré".

Con esto, nos separamos y volví a agradecer a Dios esta conversación con el maestro, al tiempo que oraba por el escribano, para que también él pudiera leer la *Filocalía* aunque nada más fuese una vez, para bien de su alma.

En otra ocasión, ya en primavera, pasé por un pueblecito y me hospedé en casa del sacerdote. Era un hombre bueno. Vivía solo. Pasé tres días con él, y después de haberme observado, me dijo:

–"Quédate conmigo, porque necesito una persona de confianza, y te daré un salario. Ya ves que junto a ola capilla de madera estamos construyendo una iglesia de piedra, y necesito una persona de confianza que vigile la construcción y se encargue de hacer las colectas en la capilla. Ya veo que tú eres capaz de esto, y que este tipo de vida te vendrá muy bien. Podrás estar solo en la sacristía de la capilla y podrás orar a placer. Te ruego, pues, que te quedes aquí al menos hasta que haya terminado la construcción de la Iglesia".

Me negué repetidas veces, pero al fin accedí a los ruegos del sacerdote. Me quedé todo el verano, hasta el otoño, y me instalé en la vieja capilla.

Al principio gocé de la soledad dedicándome a la oración. Los días de fiesta venía mucha gente, unos para rezar, otros para hacer limosnas, otros por curiosidad; y no faltaban quienes se acercaban a robar el dinero de la bandeja. Por las tardes me dedicaba a leer la Biblia y la *Filocalía*, y algunos se me acercaban para que leyese en voz alta y conversáramos sobre lo leído.

Después de algún tiempo observé que una joven venía con frecuencia a la capilla y permanecía largo rato rezando. Traté de escuchar sus oraciones y me di cuenta de que algunas eran desconocidas y otras desfiguradas.

– "¿Quién te enseñó estas oraciones?", le pregunté.

Me respondió que lo había aprendido de su madre, que era ortodoxa, y que su padre era cismático, de la secta que niega el sacerdocio. Le enseñé a rezar correctamente el Padre Nuestro y el Ave María. Y añadí: "Reza con la mayor frecuencia posible la oración a Jesús. Esta oración te acercará a Dios y te ayudará para tu salvación". La joven escuchó mis consejos, y al poco tiempo me contó que se había acostumbrado a recitar la oración a Jesús y que sentía la necesidad de repetirla sin cesar. Cuando la rezaba, sentía una alegría y satisfacción que le duraba mucho tiempo. Mi satisfacción por esta comunicación fue grande, y le aconsejé que continuase rezando la oración a Jesús.

El verano pasaba y muchos venían a mí para toda clase de actividades: unos querían que leyésemos, otros me consultaban los problemas de casa, otros que les ayudase a encontrar lo que les habían robado... ¡Debían pensar que estaban ante algo así como un adivino! También un día vino la joven de quien he hablado. Venía apesadumbrada y lloraba, sin saber qué hacer, porque su padre quería casarla con su cismático como él, y no ante un sacerdote, sino ante un campesino cualquiera.

– "Esto no sería un matrimonio legal", decía la joven. "Sería una deshonestidad".

Quería huir de casa. Yo le dije:

– "¿Y adónde vas a ir? Ciertamente te encontrarán. No teniendo pasaporte no podrás quedarte en ningún sitio, y darán contigo en seguida. Es mejor pedir al Señor que cambie la voluntad de tu padre y que guarde tu alma del pecado y la herejía. Esto es mejor que huir".

Así iba pasando el tiempo y yo notaba que tanto ruido y distracciones no me convenían. La estancia allí se me hacía cada vez más penosa. Así que me decidí a abandonar el lugar y seguir mi peregrinación. Fui a ver al sacerdote, y le dije:

– "Padre, tú conoces mis deseos, y la necesidad que tengo de tranquilidad para dedicarme a la oración. Y aquí ya tengo demasiada distracción y disipación. He cumplido lo que me pediste y he permanecido aquí durante todo el verano. Dejadme continuar mi viaje y bendecid mi peregrinación".

Pero el sacerdote me exhortaba a quedarme. Me decía:

– "¿Qué es lo que te impide aquí rezar lo que quieras? Tienes tu habitación, tienes pan, no mantienes conversaciones inútiles con la gente que viene, eres de provecho a la iglesia... Ora noche y día, nadie te lo impide. Lo que aquí haces es más grato a Dios que cualquier otra cosa. ¿Por qué quieres estar siempre solo? Se reza mejor, y más alegremente, cuando se reza con los demás. Dios no creó al hombre para que viva solo, sino para que cada uno pueda ayudar a su prójimo y así juntos puedan alcanzar la salvación. Piensa en los Santos Padres. Pasaban todo el día en movimiento, cuidando de la Iglesia, predicando aquí y allá, y no escondiéndose de los hombres".

– "Padre", le respondí, "cada uno ha recibido de Dios una vocación. Tenéis razón en lo que decís. Unos han predicado a las multitudes y otros se han retirado a la soledad, siguiendo todos su propia inclinación y creyendo que estaban en el camino que Dios les había señalado. Y, si no, ¿cómo podéis explicarme que muchos abandonaron todos los honores y dignidades de la Iglesia, el gobierno del monasterio, y se adentraron en el desierto para no ser tentados por el mundo? San Isaac el Sirio abandonó a sus fieles, y el venerable Atanasio, el Athonita[10] dejó su monasterio, porque encontraban estos monasterios demasiado seductores y creían más en la palabra de Jesús: *¿De qué le serviría al hombre ganar el mundo entero si se pierde a sí mismo?*" (Mt 16,26).

– "¡Pero ellos eran grandes santos!", replicó el sacerdote.

10. Tomó el apellido del Monte Athos. Vivió en la segunda mitad del siglo X. Murió el 1003. Tuvo una vida muy agitada, buscando siempre la soledad.

– "Si los santos", respondí, "se guardaban tan cuidadosamente de la distracción de las gentes, ¿qué no deberá hacer un pobre pecador como yo?"

Así que, me despedí del buen sacerdote, y yo seguí mi peregrinación.

Había andado diez kilómetros, cuando me detuve en una aldea para pasar la noche. Me encontré con un agonizante y aconsejé a la familia que llamase a un sacerdote para que le administrasen los sacramentos. La familia accedió, y de mañana fueron a buscar al sacerdote. Me quedé en la casa, pues quería honrar la Presencia del Señor y orar ante el Sacramento. Me senté a la entrada de la casa para esperar al sacerdote cuando, he aquí, que veo venir hacia mí, corriendo, la joven que frecuentaba la capilla para orar.

– "¿Cómo has venido hasta aquí?", le dije.

– "Al fin huí de casa", me dijo, "cuando todo estaba ya preparado para la boda con el cismático". Y arrojándose a mis pies, continuó: "Llévame contigo, por favor, y condúceme a un convento. No quiero casarme. Quiero vivir en un monasterio y dedicarme a rezar la oración a Jesús. A ti te escucharán y me admitirán en el monasterio.

– "Y ¿adónde quieres que te lleve?", le respondí. "No conozco convento alguno por aquí y sin pasaporte nadie te recibirá. No podrás quedarte en ninguna parte, te hallarán y te devolverán a tu casa. Además, te castigarán por haber huido. Es mejor que te encomiendes a Dios y vuelvas a tu casa. Si no quieres casarte, simula alguna enfermedad. Esto no sería más que una mentira piadosa. Así lo hicieron la Santa Madre Clemente y Santa Marina cuando se refugió en un convento de varones[11]. Y otras muchas personas.

Aún no habíamos terminado de hablar cuando vimos acercarse un carruaje tirado por dos caballos en el que venían cuatro hombres. Se apoderaron de la joven, la introdujeron en el carruaje y la confiaron a uno de ellos que partió con la joven. Los otros tres, me ataron las manos y me obligaron a volver con ellos al poblado donde había pasado el verano. A todas mis explicaciones y protestas, respondían gritando:

– "Ya te diremos nosotros, cara dura, cómo se seduce a las jovencitas".

Por la tarde me llevaron a la prisión, me pusieron grillos en los pies, esperando juzgarme a la mañana siguiente. Cuando el sacerdote se enteró de lo que pasaba, fue a visitarme, me llevó comida, me consoló y me prometió interceder por mí.

El juez no llegó hasta ya avanzada la tarde. Le contaron lo que sucedía, y mandó que se reuniese la asamblea del pueblo y me llevasen a su presencia para

---

11. Propiamente no se refugió. Todo fue cosa de su padre, quien, al quedarse viudo y no soportar vivir separado de su hija, hizo creer al Abad que Marina era varón. Le cambió de nombre, vestidos, etc. y así vivió en monasterio de varones.

juzgarme. Llegó nervioso, se sentó, y sin quitarse el sombrero, preguntó al padre de la joven:

– "Vamos a ver, Epifanio. ¿Se llevó algo de la casa tu hija al huir?"

– "No, señor. Nada".

– " ¿Ha hecho algo malo con este hombre?"

– "No, señor".

– "Entonces el caso está juzgado; toma a tu hija, y haz lo que quieras. En cuanto a este hombre, mañana te castigaré y expulsaré del lugar, pidiéndole que no vuelva a poner los pies aquí. Eso es todo".

Dichas estas palabras, el juez se levantó, se fue a dormir, y a mí me devolvieron a la prisión. A la mañana siguiente vinieron dos policías, me azotaron y me expulsaron del lugar. Me fui dando gracias a Dios que me había permitido sufrir algo a causa de su nombre. Esto me estimuló para seguir orando con mayor ilusión.

Todos estos sucesos los miraba como si no tuvieran que ver conmigo. Los contemplaba como de lejos, y no me entristecían. Era como si se tratase de otra persona y yo fuera un simple espectador. Incluso cuando me azotaron lo soportaba con naturalidad, porque la oración seguía brotando de mi corazón, me centraba en ella, y no atendía a otra cosa.

Cuando hube andado unos cuatro kilómetros, me encontré con la madre de la joven, que volvía del mercado. Apenas me vio, se acercó a mí y me dijo:

– "El novio ha renunciado a su petición. Se ha enfadado con Akulka, y se ha sentido ofendido, por haber huido".

Me dio pan y unas galletas y yo continué mi peregrinación.

El tiempo estaba seco y no quise pasar la noche en un poblado. Divisé un montón de heno y allí mismo me acosté. Soñé que iba por el camino leyendo en la *Filocalía* un capítulo de san Antonio el Grande, Que de nuevo me alcanzaba mi *staretz*, y me decía: "No es eso lo que debes leer". Y me indicó el capítulo treinta y cinco de Juan de Karpathos, en el que escribe: "Algunas veces el maestro tendrá que soportar ignominias por amor a sus discípulos". E inmediatamente me indicó el capítulo cuarenta y uno, donde se lee: "Los que más oran serán tentados con tentaciones más fuertes y terribles". Luego añadió por su parte:

–Hijo. Ten valor y no te desanimes. Recuerda las palabras del Apóstol: *"El que está con ustedes es más poderoso que el que está en el mundo"* (1Jn 4,4). Ya has experimentado en ti mismo que no hay tentación que supere las fuerzas del hombre, conforme a lo que dice la Palabra: *"El les dará, al mismo tiempo que la tentación, los medios para resistir"* (1Co 10,13). Los santos que han pasado la vida no sólo orando, sino enseñando e iluminando a los demás, se han visto sostenidos por la esperanza en ayuda del Señor. He aquí lo que dice, al respecto, san Gregorio de Tesalónica: *"No debemos contentarnos con cumplir sólo nosotros el mandato divino de orar sin cesar. Debemos también enseñar a orar de la misma manera a todas las personas que conocemos, monjes o laicos, doctos o ignorantes, hombres o mujeres, grandes o pequeños"*. Lo mismo dice el bienaventurado Calixto Telicoudas: "La oración interior, el conocimiento de la contemplación y cualquier medio para elevar nuestra alma a Dios no debemos mantenerlo para nosotros solos. Es necesario comunicarlo a los demás, bien sea por escrito, o de palabra, buscando la salvación de todos. Con ello cumplimos la palabra de Dios, que dice: *'Un hermano ayudado por otro hermano es como una ciudad fuerte'*. Solamente es necesario huir de la vanidad para que la Palabra no se la lleve el viento".

Me desperté, y de nuevo sentí una gran alegría y la ilusión de continuar mi vida. Me levanté, y proseguí mi camino.

Quiero contar otro suceso que me ocurrió bastante más tarde. Un día, era 24 de marzo, sentí el gran deseo de comulgar al día siguiente, día de la anunciación a María. Pregunté si había una iglesia cerca, y me dijeron que había una a treinta kilómetros de allí. Caminé el día la noche, a fin de llegar al tiempo de la oración litúrgica. El tiempo era horrible. Se alternaban la lluvia y la nieve, y se oía el viento helado a través del bosque. Tuve que atravesar un arroyo, y había dado sólo unos pasos cuando noté como el hielo se rompía bajo mis pies y me hundí en el agua, hasta la cintura. Llegué a la iglesia completamente empapado y allí permanecí durante la oración litúrgica, en la cual pude comulgar.

A fin de poder pasar el día en paz, le pedí al sacristán que me permitiese alojarme allí hasta el día siguiente. Pasé todo el día con un gozo indecible y una gran paz en el corazón. Tendido sobre un camastro en la cabaña, me parecía estar en la misma tienda de Abraham. La oración brotaba de mi interior, el amor a Jesús y a María inflamaba mi corazón e inundaba mi alma de felicidad.

Al anochecer noté un gran dolor en las piernas, y sólo entonces me di cuenta de que estaba empapado. Pero rechacé el recuerdo y volví a sumergirme en la oración. No volví a sentir nada. Cuando quise levantarme por la mañana, entonces noté que las piernas estaban débiles y sin fuerza.

Permanecí dos días inmóvil. Al tercero el sacristán me echó de la cabaña diciendo:

– "¿Qué haré si mueres aquí? Tendré que ocuparme de todo".

Me arrastré como pude hasta la iglesia y allí permanecí durante dos días, sin que nadie de los que pasaban por el lugar se preocupasen de mis lamentos. Finalmente, un campesino se acercó a mí, y me dijo:

– "Yo tuve la misma enfermedad que tú, y sé cómo se cura. ¿Qué me darás si te curo?"

– "No tengo nada", le respondí.

– "¿Y lo que llevas en la alforja?"

– "Sólo llevo pan, sal y dos libros".

– "¿Trabajarás para mí durante el verano, si te curo?"

– "No puedo. Ya ves que tengo un brazo paralizado y el otro no tiene fuerzas"...

– "Entonces, ¿qué sabes hacer?"

– "Solamente leer y escribir".

– "¡Ah! ¿Sabes escribir? Perfectamente. Enseñarás a escribir a mi hijo. Sabe leer un poco, pero yo quiero que aprenda también a escribir y me piden mucho dinero por ello. Me piden veinte rublos, y es demasiado para mí".

Acepté la petición, y entre él y el sacristán me llevaron y colocaron en una caseta vacía, que servía de baño en el fondo de la finca. Y el campesino comenzó su cura. Recogió por el campo huesos de animales y pájaros de todas clases, los lavó, los machacó y los puso en una olla grande que cubrió con una tapadera que él agujereó. Puso la olla boca abajo sobre un recipiente vacío que había hundido en la tierra, recubrió la olla con una capa de arcilla, puso en torno a ella leña seca, la encendió y así estuvo durante veinticuatro horas.

El recipiente semienterrado tenía medio litro de un líquido espeso, rosáceo, aceitoso, que exhalaba un cierto olor. Los huesos de la olla se volvieron blancos y transparentes como madreperlas.

Con este líquido me frotaba las piernas cinco veces al día. Desde el primer día comencé a mover los dedos de los pies, a los tres días ya podía doblar las piernas, y al quinto podía atravesar el corral, despacio y apoyado en un bastón. Al cabo de una semana, estaba completamente curado. Le di gracias a Dios, me decía: "¡Hay que ver! ¡Cómo se manifiesta la sabiduría de Dios en sus criaturas! Los huesos secos y casi podridos conservan aún su fuerza vital. Tienen color y olor, y tienen la virtud de devolver la salud a los hombres. ¿No es esto una prueba de la futura resurrección de nuestros cuerpos? ¡Ojalá hubiera podido enseñarle esto al guardabosques que no creía en la resurrección de los cuerpos!

Una vez curado, comencé mis clases de escritura con el niño. Escribí como modelo la oración a Jesús, y le mandé que la copiase, indicándole cómo tenía que formar bien las letras. Era un trabajo muy tranquilo para mí, ya que el niño trabajaba para el administrador de una finca, y sólo podía venir a encontrarme muy de mañana, cuando su amo descansaba. El niño era despierto, y en poco tiempo aprendió a escribir correctamente.

El administrador se dio cuenta, y le preguntó quién le enseñaba a escribir:

– "Un peregrino manco, que vive en el baño de la casa".

El administrador, que era polaco, sintió curiosidad y vino a verme en el momento en que me disponía leer la *Filocalía*. Habló un poco conmigo, y me dijo:

– "¿Qué es lo que ibas a leer?" Y sin dejarme responder, continuó:

– "¡Ah! Es la *Filocalía*. Vi este libro en la casa del sacerdote, cuando yo vivía en Vilma. He oído que contiene extraños ritos y oraciones, inventados por algunos monjes griegos a imitación de los que hacen algunos fanáticos de la India y Kokara. Llenan sus pulmones de aire hasta que sienten un estado blando. Y creen que esta sensación es una gracia de Dios. Para cumplir nuestros deberes para con Dios no es necesario hacer esas cosas. Basta con rezar, al levantarse, el Padre nuestro que Jesús nos enseñó. Estar todo el día repitiendo la misma oración puede volvernos locos".

– "¡No habléis así de este libro santo, señor!", le respondí. "No son sólo unos pobres monjes griegos los que han escrito este libro, sino también grandes santos, venerados en vuestra Iglesia: Antonio el Grande, Macario el Grande, Marcos el Asceta, Juan Crisóstomo y otros. De ellos precisamente aprendieron los monjes de la India la técnica de la oración interior del corazón. Lo que pasa es que después ellos la han desfigurado, según me dijo mi *staretz*. En cuanto a la *Filocalía*, toda su enseñanza sobre la oración está sacada de la Biblia. Jesús, que nos enseñó a rezar el Padre Nuestro, nos dijo también: *"Amarás al Señor tu Dios con todo su corazón, con toda tu alma y con toda tu mente"* (Mt 22,37); *"Vuelen y oren"* (Mc 13,33); *"Permanezcan en mí, y yo permaneceré en ustedes"* (Jn 15,4). Y los Santos Padres, al citar las palabras de David: *"Hagan la prueba y vean cuán bueno es el Señor"* (Sal 34,9), lo interpretan diciendo que hay que hacer todo lo posible por conocer la oración interior, no contentándose con rezar solamente el Padre nuestro".

Le leí lo que dicen los Santos Padres acerca de aquellos que no tratan de conocer la oración interior, y dicen que no es necesario aprenderla:

– "Estos declaran que los tales cometen un triple pecado, pues: 1 , contradicen las Sagradas Escrituras; 2 , no llegan siquiera a sospechar que pueda existir un estado más elevado y perfecto. Contentándose con las virtudes exteriores, ignoran el hambre y sed de verdad, justicia, felicidad y alegría en el Señor; y 3 , considerando sólo las virtudes exteriores, caen con frecuencia en la vanidad y satisfacción propia".

– "Tú me lees cosas muy elevadas", dijo el administrador. "El problema es cómo nosotros, pobres laicos y metidos en el mundo, podemos llegar a aprender y practicar este tipo de oración".

– "Muy bien, le dije. Voy a leeros algo mucho más sencillo: *de cómo las personas piadosas, aun en medio de la vida del mundo, pueden orar sin cesar*".

Así abrí la *Filocalía* por el tratado de Simeón el Nuevo teólogo, sobre el joven Jorge, y me puse a leer. Esto gustó al administrador, quien me dijo:

– "Dame ese libro, y ya lo leeré yo en los ratos libres que tenga".

– "Esta bien", le dije. "Os lo dejaré, pero no por más de veinticuatro horas, pues yo lo leo continuamente y no puedo estar sin él". Me dijo:

– "Entonces, cópiame este pasaje, y te lo pagaré".

– "No necesito vuestro dinero", le respondí. "Si Dios os enseña así a orar, haré este trabajo con mucho gusto. Con ello me daré por muy bien pagado".

Copié inmediatamente el pasaje que acababa de leer. El administrador se lo leyó a su mujer, y ambos se alegraron mucho. De vez en cuando me mandaban a llamar. Yo acudía con mi *Filocalía*, y les leía algunos pasos, mientras tomaban el té.

Un día me invitaron a comer. La mujer del administrador se tragó una espina y parecía ahogarse. A pesar de nuestros esfuerzos, nada pudimos hacer por extraérsela. Sufría tanto, que prefirió irse a la cama y acostarse. Hubo que llamar al médico, que vivía a veinte kilómetros de distancia. Me daba pena ver sufrir a la pobre anciana.

Volví a mi cabaña, me acosté, y de nuevo oí la voz de mi *staretz*, aunque sin ver a nadie. Me decía:

– "Tú señor te ha curado. ¿No podrías tú curar a la mujer del administrador? Dios nos ha pedido ayudar a nuestros prójimos".

– "Yo lo haría encantado", respondí. "Pero... ¿cómo voy a hacerlo? No tengo medio alguno, ni conozco remedios para ello".

– "He aquí lo que hay que hacer", me dijo. "Desde pequeña, la mujer no ha sido capaz de aguantar el olor del aceite de ricino. Le provoca náuseas. Dale una cucharada de ese aceite, vomitará, y con el vómito expulsará al mismo tiempo la espina y el aceite. Al mismo tiempo, el aceite suavizará la herida de la garganta, y se curará".

Me desperté y corrí inmediatamente a casa del administrador a contarle lo sucedido. Él me dijo:

– "De cualquier forma", le respondí, "podemos probar, ya que el experimento no le puede hacer mal alguno en estas circunstancias".

El administrador vertió el aceite en un vaso, y apenas lo bebió, tuvo un fuerte vómito; con él arrojó la espina con un poco de sangre. En seguida se sintió aliviada, y se durmió profundamente.

Al día siguiente, cuando fui a visitarlos, la encontré ya levantada y tomando el té con su marido. Los dos estaban asombrados de la curación, y más todavía de lo que se me había dicho en sueños acerca de la repugnancia que la buena mujer sentía hacia el aceite, pues era algo que nunca había hablado con nadie. En ese momento llegó el médico y le contaron cómo habían sucedido las cosas. Yo también aproveché para contarle cómo el campesino había curado mis piernas[12].

– "No me sorprende", contestó. "En ambos casos han actuado las fuerzas de la naturaleza. No obstante, tomaré nota de ello".

Sacó una libreta, y escribió algo en ella.

Pronto se corrió la voz por los alrededores, y cada uno me hacía una cosa: milagrero, adivino, hechicero... Venían de todas partes para hablarme de enfermedades y negocios. Me traían regalos y me querían honrar como a un santo. Lo soporté durante una semana, pero me puse a reflexionar, y, ante el peligro de caer en la vanidad o en la distracción, dejé la aldea en secreto durante la noche[13].

---

12. El verdadero orante no permite ser el centro de los aplausos. Discreta, pero rápida y eficazmente, desvía los elogios hacia los demás.

13. El peregrino, que a veces parece un misántropo, en realidad huye más de la tentación de vanagloria, que de las gentes.

Al comenzar de nuevo mi peregrinación me sentí tan aliviado como si se me hubiese quitado un gran peso de encima. La oración interior me llenaba cada vez más, y sentía su benéfico influjo por todo mi cuerpo. Tenía tan grabada la imagen de Jesús, que al recordar los acontecimientos evangélicos me parecía como si los estuviese viendo con los propios ojos. Esto me emocionaba sobre manera.

En mi peregrinación pasaba hasta tres días sin ver casa alguna. Entonces, en la inmensa soledad, me parecía estar yo solo en el mundo. Yo, pobre pecador, estaba a solas con Dios, los dos en inmensidad del silencio. La oración resonaba en el interior con más fuerza que estando con los hombres. Hasta los latidos del corazón parecían tener una fuerza mayor.

Con esta grata experiencia llegué a Irkitsk. Fui a visitar el sepulcro de san Inocencio[14]. Y como no quería permanecer durante mucho tiempo en una ciudad tan grande, comencé a maquinar hacia dónde me dirigiría. Estaba reflexionando en todo esto, cuando me detuvo un comerciante, y me dijo:

– "¿Eres peregrino? ¿Por qué no vienes a mi casa?"

Llegamos a su casa, una casa señorial, y me preguntó quién era, qué hacía y cuáles eran mis intenciones. Le conté mi vida, y me dijo:

14. De él hablamos ya con anterioridad.

– "Deberías peregrinar a Jerusalén. Es la tierra santa por excelencia; no hay nada que se le pueda comparar".

– Iría con mucho gusto", le contesté. "Podría ir andando hasta el mar, pero hacer la travesía cuesta mucho dinero. Y yo no dispongo de dinero".

– "No te preocupes por eso", me dijo. "Si quieres yo puedo proporcionarte los medios para ello. Ya el año pasado se los proporcioné a un anciano conocido".

Me arrojé a sus pies, lleno de agradecimiento. Él me dijo:

– "Te daré una carta para mi hijo, que vive en Odesa. Él tiene negocios con Constantinopla. Te dará la posibilidad de ir en uno de sus barcos y después te pagará el viaje de allí hasta Jerusalén. Eso no resulta muy caro".

Estas palabras me colmaban de felicidad. Di gracias a Dios y a mi benefactor, que tantos cuidados tiene con este pecador, que no hace el bien a nadie y como el pan sin trabajarlo ni sudarlo.

Me quedé tres días en casa de este generoso comerciante. Me dio una carta para su hijo, y me preparé para emprender una nueva y novedosa peregrinación. Voy a Odesa con la esperanza de llegar a la ciudad Santa de Jerusalén. ¡No sé si el Señor me juzgará digno de arrodillarme ante el Santo Sepulcro!

RELATO TERCERO

Poco antes de abandonar Irkustk fui a ver a mi padre espiritual, con el que había comunicado frecuentemente, y le dije:

– Estoy preparado para ir a Jerusalén; vengo a saludaros y a daros las gracias por vuestro amor en Cristo para conmigo, indigno.

Me dijo: – ¡Dios bendiga tu viaje! Pero aún no me has dicho quién eres y de dónde vienes he oído hablar de tus peregrinaciones, y me gustaría conocer algo sobre tu origen y tu vida anterior.

– ¡De buena gana!; os lo contaré todo –respondí–. No es una historia larga. Nacía en una aldea en la Provincia de Orel (Rusia Central). A la muerte de nuestros padres, quedamos solos mi hermano y yo; él de diez años, yo de dos. Nos adoptó nuestro abuelo. Era un anciano respetable, que vivía desahogadamente. Tenía una posada junto a la carretera principal y, por su hospitalidad, muchos viajeros se detenían en ella. Mi hermano, que estaba mal acostumbrado, pasaba la mayor parte del tiempo corriendo con los golfillos del lugar; yo me quedaba de buena gana con el abuelo. Los domingos y días festivos íbamos juntos a la iglesia y luego, en casa, mi abuelo se dedicaba a leer la Biblia, esta misma Biblia que ahora es mía. Mi hermano, cuando fue mayor, comenzó a darse a la bebida. Una vez, contaba yo siete años, estábamos los dos tumbados sobre la trébede de la estufa[1]. Mi hermano me dio un empujón tan fuerte que me caí, lastimándome el brazo izquierdo, que desde entonces quedó paralizado. El abuelo, viendo que esto me impediría trabajar en el campo, me enseñó a leer; como no teníamos silabarios, lo hizo sobre la Biblia. Cuando comencé a deletrear, el abuelo, que iba perdiendo la vida, quiso que yo leyese la Biblia. A nuestra posada venía con frecuencia un escríbano; escribía muy bien, y me gustaba observarle mientras lo hacía. Imité su letra, y él comenzó a enseñarme; me daba papel y tinta y me sacaba la punta a las plumas de ocas. Poco a poco aprendí a escribir. El abuelo se alegraba de ello y decía:

– "Con el talento que Dios te ha dado, podrás llegar a ser rico. Da gracias a Dios y practica la oración cuanto te sea posible.

"Asistíamos a los diversos oficios y rezábamos con frecuencia en casa. Siempre recitaba el Salmo Cincuenta, y el abuelo y la abuela hacían genuflexiones y postraciones hasta el suelo. Cuando yo contaba diecisiete años, murió mi abuela. El abuelo me dijo:

– "Necesitamos a una mujer en casa. Como tu hermano no sirve para nada, te buscaré a ti una compañera para que te cases.

---

1. En la fría estepa rusa la estufa juega un importante papel. Por eso aparece con frecuencia en la literatura. Construida con adobes en el extremo del salón, era lo suficientemente espaciosas como para colocar sobre ella el lecho. También se convertía en salón de estar.

"Me opuse, diciendo que estaba lisiado, pero mi abuelo insistió. Halló una buena muchacha, juiciosa, de veinte años, y nos casamos. Un año después el abuelo se puso enfermo y, sintiéndose cercano a la muerte, me llamó y se despidió con estas palabras:

"Te dejo mi casa y toda mi fortuna. Sé honrado, no engañes a nadie y ora al Señor, porque todo nos viene de él. Confía en él solamente. Frecuenta la iglesia, lee la Biblia y acuérdate de mí y de la abuela en tus oraciones. Aquí tienes el dinero que quiero darte también: mil rublos. Guárdalo, no lo gastes, pero no seas tampoco avaro; haz partícipes de él a Dios y a los pobres". Dicho esto, murió, y yo le di cristiana sepultura.

"Mi hermano tuvo envidia de que me hubiera dejado a mí la casa y el dinero. El enemigo de nuestras almas le indujo a intentar matarme. Un día, cuando no había huéspedes en la posada y nosotros estábamos dormidos, desfondó el tabique de madera de la habitación donde yo guardaba el dinero; lo cogió del cofre y prendió fuego al tabique desfondado. Sólo nos dimos cuenta cuando ya toda la casa estaba en llamas. Pero aún tuvimos tiempo de saltar por la ventana, en camisón, de noche. Afortunadamente, la Biblia estaba debajo de la almohada y pudimos tomarla y salvarla con nosotros. Mientras veíamos arder nuestra casa, decíamos: "Gracias, Señor, que se ha salvado nuestra Biblia. Será un gran consuelo en nuestro dolor".

"En esto paró nuestra riqueza.

"Mi hermano nos abandonó para siempre. Nos enteramos mucho tiempo después de quién había robado nuestro dinero e incendiado nuestra casa; él mismo se jactó de ello, estando borracho. Desnudos como mendigos, tuvimos que pedir dinero prestado para poder levantar una humilde choza. Mi mujer sabía hilar, tejer y coser; recibía encargos y, trabajando día y noche, ganaba el sustento de los dos. Yo, con mi brazo paralizado no era capaz ni de tejer las abarcas de cortezas de árbol. Mientras mi mujer hilaba o tejía, yo estaba a su lado y leía la Biblia; ella escuchaba con atención y, algunas veces, lloraba.

– "¿Por qué lloras? –le preguntaba–. Vivimos bien, gracias a Dios.

"¡Es tan bello lo que estás leyendo, que me conmueve!

"Practicábamos todo lo que el abuelo nos había recomendado. Todas las mañanas contábamos el *Akathistos*[2] a la Santísima Virgen; todas las tardes hacíamos las mil genuflexiones para no caer en tentación. Así pasaron dos años. Lo sorprendente es que no teníamos ni idea de la oración interior que obra en nuestros corazones, ni habíamos ni siquiera

2. Himno litúrgico mariano. Fue compuesto para celebrar la victoria de Heraclio sobre los escitas y los persas el año 626, victoria en la que se dieron algunos hechos que han pasado como milagrosos y en los que habría intervenido la Virgen María.

oído hablar de ella; rezábamos con los labios y hacíamos nuestras genuflexiones sin pensar en nada, como dos trozos de madera. Sinembargo, la oración nos atraía siempre, y aquellos prolongados ritos externos, que no comprendíamos, nunca nos fueron penosos; al contrario, nos deleitaban. Con razón me decía un director espiritual que en el fondo del corazón humano vive una secreta oración; el hombre no lo sabe, pero hay algo misterioso en su alma que le empuja a rezar como puede, según su entender.

"Consta de 24 estrofas. Las doce primeras pregonan los misterios marianos relacionados con la infancia de Jesús. Las otras doce se centran en el misterio de la Encarnación y de la maternidad divina y virginal" (Cf I. Ortiz de Urbina. *En los albores de la devoción mariana: el himno 'Akathistos', en Estudios Marianos 35*(1970), 9-20.

"Akathistos" etimológicamente hace relación a la postura en que se recita, de pie.

"Después de dos años pasados en esta vida serena, mi esposa cayó enferma. Tuvo una fiebre altísima, de la que murió a los nueve días, después de haber recibido los Santos Sacramentos.

"Y así me quedé solo en el mundo. Era inútil para el trabajo, pero me daba vergüenza pedir limosna como un mendigo. Además, la muerte de mi esposa me sumió en tan amargo dolor, que no sabía qué hacer. Cuando entraba en nuestra pobre choza y veía sus vestido o algún objeto que le había pertenecido, caía a tierra convulso, sollozando, hasta casi perder el sentido. Esta nostalgia se me hacía insoportable. Vendí la choza en veinte rublos y regalé a los pobres sus vestidos y los míos. Me procuré un pasaporte, que me libraba de una vez para siempre, por inútil, de todos los deberes comunales, cogí mi Biblia y me fui, al principio sin saber dónde. Luego, reflexioné despacio, y me dije: "¡Tengo que ir a Kiev, donde se conservan tantas reliquias! Quiero pedir a los santos que me ayuden en mi dolor". Tomada esta decisión, me sentí más calmado y me encaminé tranquilamente hacia Kiev. Llevo ya trece años peregrinando de este modo. He visitado muchas iglesias y monasterios, aunque prefiero hacer mi camino por la estepa y por entre los bosques. No sé si Dios me juzgará digno de visitar la ciudad santa de Jerusalén; si me lo concede, quizá permita que mis huesos de pecador encuentren allí su último reposo.

–¿Y cuántos años tienes?

–Treinta y tres.

–¡Bien, hermano querido; has llegado a la edad de Nuestro Señor Jesucristo![3].

3. Es una de las *casualidades* que hacen sospechar del carácter ficticio de la narración, sin que ello influya, por supuesto, en la concepción y doctrina del libro.

RELATO CUARTO

El proverbio: "el hombre propone y Dios dispone", tiene toda la razón. Con estas palabras me presenté ante mi padre espiritual.

–Aquí me tienes de nuevo, le dije. "Hoy tenía que haber salido para Jerusalén; pero me ha sucedido algo totalmente imprevisto, que me retendrá aquí dos o tres días más. He querido venir a contárselo y a pedir vuestro consejo".

He aquí, pues, lo ocurrido: me había despedido ya de todos y estaba para ponerme en camino, cuando divisé a la puerta de la última casa de la ciudad un peregrino a quien hacía dos o tres años que no veía. Me acerqué a él, nos saludamos y me preguntó que adónde iba. Le respondí: '– "Voy nada menos a la ciudad santa de Jerusalén, si Dios quiere".

– "¡Estupendo!", dijo él. "Tengo un buen compañero para ti".

– "Te lo agradezco", le dije. "Pero ya sabes que me gusta ir siempre solo".

– "Bien, bien; pero escúchame", continuó diciendo. "Se trata de un compañero muy especial, un compañero que te conviene. A él le irá bien tu compañía, y a ti la suya. Mira, se trata de lo siguiente: el padre del amo de la casa donde trabajo hizo voto de ir a Jerusalén. Se trata de un anciano, buena persona, que está completamente sordo. No oye ni los gritos, y cuando se le quiere decir algo, hay que hacerlo por escrito. En ese sentido es como si hicieses el camino en silencio. No te molestará, ni te aburrirá.

Por otra parte, tú le puedes ser indispensable. El anciano quiere ir a pie, pero su hijo le pone a disposición un caballo con el carruaje. Podrá venderlo en Odesa. En el carruaje podrá llevar su equipaje y algunos dones para el Santo sepulcro. Tú podrás llevar también allí tu alforja. Reflexiona ahora: ¿crees tú que se puede dejar solo en un camino así a un anciano completamente sordo? Hemos andado buscando por todas partes alguien que le acompañe; pero, por una parte, resulta muy caro; y por otra, no se le puede dar la compañía de un desconocido, pues él lleva dinero y objetos preciosos. ¡Te pido, por favor, que aceptes para gloria de Dios y bien de este prójimo! Yo mismo te presentaré a los señores, y saldré garante por ti. Son gente muy buena, y me aprecian. Hace ya dos años que les sirvo".

Después de hablar así en la calle, a la puerta, me introdujo en la casa del amo. Pude ver que se trataba de una buena familia, y acepté la propuesta[1]. Decidimos salir dos días después de navidad, una vez oída la

---

1. La caridad prevalece sobre la devoción, los deseos, las prisas, etc. El peregrino renuncia a su *prisa* por visitar los Santos Lugares. Está dispuesto a *posponerlo,* sin ganar mucho por ello.

misa. ¡Cuántos acontecimientos inesperados tienen lugar en la propia vida! La Providencia de Dios nos guía también a través de ellos, pues es verdad que *"Dios es el que produce en ustedes tanto el querer como el actuar tratando de agradarle"* (Flp 2,13).

Tomó la palabra mi padre espiritual, y dijo:

–Me alegra de corazón volver a verte tan pronto. Y como ahora estás libre, te retendré un poco conmigo, a fin de que me cuentes alguno de los sucesos que te han acaecido en tu peregrinar. Me ha gustado escucharte ya otros relatos.

–"Con mucho gusto", le dije. Y empecé a hablar:

"En mi largo peregrinar he encontrado cosas buenas y cosas malas. No es posible contarlo todo, pues muchas cosas las he olvidado. He tenido un cuidado especial por centrarme en aquello que podía servirme para la oración interior del corazón. Todo lo demás he procurado olvidarlo, teniendo en cuenta lo que dice el Apóstol: *"Olvidando lo que dejé atrás, me lanzo hacia adelante y como hacia la meta"* (Flp 3,13-14). Y mi venerable *staretz* me decía que las dificultades para la oración podían venir tanto de una parte como de su contraria. Si el enemigo no logra distraer de la oración al alma con pensamientos vanos e imágenes malas, entonces hace revivir en él recuerdos edificantes y hermosos ideales. Lo que importa es distraer al alma de la oración como sea, porque no la soporta. También me enseñó que mientras se reza no se debe admitir ni el más puro y bello pensamiento. Tampoco sería oportuno dedicar largo tiempo durante el día a elegantes reflexiones o conversaciones devotas. Todo ello haría perder el tiempo de la oración. Ello perjudicaría sobre todo a los principiantes, que deben dedicar más tiempo a la oración que a otras actividades piadosas.

Sinembargo, no es posible olvidarlo todo. Hay recuerdos que han quedado tan firmes en la memoria, que no hay fuerza que pueda destruirlos.

Uno de esos recuerdos es el de una familia con la que pasé varios días. Al atravesar en cierta ocasión una pequeña ciudad de la provincia de Tobolsk, y darme cuenta de que me había quedado sin pan, entré en una casa a fin de pedir un poco. El dueño de casa me dijo:

– "Llegas en un buen momento. En estos instantes mi mujer está sacando el pan del horno. Toma éste, que aún está caliente, y ora por nosotros".

Le di las gracias y metí el pan en mi alforja. Cuando me vio la dueña, dijo:

– "Tu alforja está demasiado vieja y rota. Te daré una nueva".

Y me la dio. Como también me había quedado sin sal, me fui a una tienda, y el tendero me regaló un paquete. Le di gracias a Dios, porque había encontrado gente tan buena en el camino. Me dije:

– "Durante ocho días ya puedo estar tranquilo y podré dormir en paz. ¡Bendice, alma mía, al Señor!" (Sal 103,1).

Apenas habría andado unos cinco kilómetros, cuando divisé en una aldea una iglesia de madera, bien pintada y decorada en el exterior. Como el camino pasaba cerca de allí y sentía el deseo de acercarme a orar, me aproximé al portal. En la pradera circundante descubría la presencia de dos niños, de cinco y seis años, bien vestidos, que estaban jugando. Pensé que serían los hijos del sacerdote. Terminé mi oración y de nuevo me puse en camino. No había dado aún diez pasos, cuando oí que me gritaban a la espalda:

– "¡Eh, buen hombre, espere!"

Me detuve. Eran los niños que antes había visto jugando. Eran niño y niña; vinieron hacia mí, me tomaron de la mano y me dijeron:

– "Ven con nosotros a ver a mamá. Ella quiere mucho a los mendigos".

– "Yo no soy un mendigo", les dije, "sino un peregrino".

– "Es lo mismo", dijeron. "Ven a ver a mamá. Ella te dará cosas para el viaje".

– "¿Dónde viven?", les pregunté.

– "Allí, dijeron apuntando. "Junto a la iglesia, detrás de los árboles".

Pasamos un jardín y me condujeron a la casa de los propietarios. Era una casa limpia. En seguida la señora vino a nuestro encuentro:

– "¡Bienvenido, querido hermano! El Señor te trae a nuestra casa. ¡Bienvenido! Siéntate, por favor".

Ella misma se llevó la alforja, la colocó sobre una mesa y me hizo sentar en una silla confortable.

– "¿Quieres comer algo, o tomar el té? ¿Necesitas algo?"

– "Muchas gracias", respondí. "Tengo todo lo que puedo necesitar. Mi alforja está llena de pan. En cuanto al té, no estoy acostumbrado. Soy del campo y no acostumbro a tomarlo. Me basta vuestra hospitalidad, que vale más que cualquier otra cosa. ¡Que Dios os bendiga por esta caridad!"

Al decir estas palabras sentí en mi interior algo así como un violento impulso, un deseo irrefrenable de orar. Sentía la necesidad de estar solo, a fin de poder acoger aquel impulso tan fuerte y ocultarlo a las miradas de los hombres: lágrimas, suspiros y expresión del rostro. Así, pues, me levanté y dije:

– "Perdóneme, pero tengo que irme. Que Jesús esté con vosotros y con vuestros hijos".

– "No, no puedes marcharte", dijo la mujer. "Mi marido estará al llegar de la ciudad donde ejerce como juez de paz. También él se alegrará mucho de encontrarte aquí. Considera a todo peregrino como un enviado de Dios. Además, mañana es domingo; así que nos acompañarás a misa y después a comer. Los días de fiesta solemos invitar a casa al menos a treinta pobres, hermanos nuestros en Cristo. Pero... ¡todavía no me has dicho quién eres y adónde vas! ¡Cuéntame! Me gusta escuchar a las personas piadosas. Y dirigiéndose a los niños, les dijo:

– "¡Niños! Llevad la alforja del peregrino a la habitación de los íconos. Él pasará la noche con nosotros".

Oyéndola hablar me preguntaba si aquella persona era un ser humano, o era una aparición. Me quedé con ellos y les conté brevemente mi peregrinar. También les dije cómo iba a Irkutsk.

– "¡Irkutsk! Entonces tienes que pasar por Tobolsk. Allí vive mi madre. Se retiró a un convento y allí es actualmente *Skhimnitsa*[2]. Te daremos una carta para ella y le gustará verte. Muchos le piden consejos espirituales. Te agradeceremos también que puedas llevarle el libro de san Juan Clímaco[3], que hemos traído para ella de Moscú".

---

2. Monja ortodoxa, constituida en el grado supremo de la vida religiosa.
3. 525-616. El "apellido" Clímaco le viene del título de una famosa obra suya: *Escala*(Climax, en latín) *espiritual*. Fue uno de los primeros en hablar de la oración interior.

Llegó la hora de comer y nos sentamos a la mesa. Vinieron cuatro señoras y se sentaron a la mesa con nosotros. Después del primer plato, una de ellas se levantó, hizo reverencia a un icono, luego otra a nosotros, y se fue a buscar el segundo plato. Luego, otra hizo lo mismo para el tercer plato. Viendo esto, pregunté a la dueña de la casa:

– "¿Pertenecen estas señoras a la familia?"

– "Sí", me dijo. "Todas ellas son hermanas en Cristo. Una es la cocinera; otra, la mujer del cochero; otra, ama de llaves; y la otra, mi doncella. Todas están casadas. No tenemos en la casa ninguna soltera".

Al oír la explicación di gracias a Dios que me había conducido a una casa tan piadosa. Sentí que la oración me brotaba de dentro, y queriendo quedar solo, le dije a la señora:

– "Vosotros debéis descansar después de la comida. Yo estoy tan acostumbrado a caminar, que prefiero dar un paseo por el jardín".

– "No", dijo ella. "Yo nunca descanso. Te acompañaré al jardín y me contará algo edificante. Si vas solo, los niños no te dejarán tranquilo. Quieren mucho a los mendigos y peregrinos, y desean estar siempre con ellos".

Tuve que aceptar su ofrecimiento. Para no ser yo quien hablara, le pregunté:

– "¿Y hace mucho tiempo que lleva este tipo de vida? ¿Cómo habéis logrado llegar a ella?

Entonces, efectivamente, ella comenzó a hablar:
– "Mi madre es descendiente de san Josafat[4], cuyas reliquias se veneran en Bielgorod. Allí teníamos una casa grande, y en el fondo del jardín, otra pequeña que alquilamos a un caballero venido a menos. Este murió; y murió también, poco después la mujer, dejando un hijo pequeño. Mi madre, compadeciéndose del niño, lo adoptó. Un año más tarde nacía yo. Crecimos juntos, tuvimos los mismos educadores, y éramos como hermanos. Cuando murió mi padre, mi madre abandonó la ciudad y vinimos a vivir aquí. Cuando fuimos mayores, mi madre me casó con su ahijado, nos regaló esta posesión, y ella se retiró a un convento, donde se había construido una celda. Nos recomendó vivir como buenos cristianos, orar de corazón y, sobre todo, observar el principal mandamiento: el amor al prójimo, siendo generosos y sencillos con los pobres. Nos recordó también educar cristianamente a nuestros hijos y tratar a nuestros sirvientes como hermanos en Cristo. Hace ya casi diez años que vivimos en este lugar, tratando de vivir conforme al programa que nos inculcó nuestra madre. Hemos levantado un asilo para pobres y mendigos. Pero no sobrepasa la proba-

4. Existen varios santos de nombres Josafat. Aquí se refiere muy probablemente al san Josafat, que fue obispo de Bielgorod y que murió el año 1763.

bilidad están recogidas en este momento diez personas, todas ellas enfermas e inválidas. Iremos a visitarlas mañana".

Cuando terminó su hermoso relato le pregunté:

– "¿Y dónde tiene el libro de san Juan Clímaco que pensáis enviar a vuestra madre?"

La señora lo trajo, y cuando nos disponíamos a abrirlo llegó su marido. Nos abrazamos, nos dimos el beso de paz, como hermanos en Cristo, y luego me dijo:

– "Ven, hermano, bendice mi aposento".

Era un despacho espléndido, con muchos libros, preciosos íconos e imágenes. Sobresalía entre éstas un crucifijo de tamaño natural y un Nuevo Testamento colocado sobre una consola.

– "Me supongo", me dijo, "que mi esposa os habrá aburrido, porque en cuanto encuentra un pobre o un peregrino se siente tan dichosa, que no lo deja ni a sol ni a sombra. Es una antigua costumbre de su familia".

Yo, por mi parte, hice la señal de la cruz, oré un momento y le dije:

– "Tenéis una casa, señor, que es un paraíso. Tenéis aquí al Señor Jesús, a su Madre Santísima, a los santos... Tenéis su palabra y enseñanzas. Seguramente tendréis frecuente conversación con ellos".

– "Sí", respondió el buen señor. "Los leo con frecuencia"[5].

– "¿Qué libros leéis preferentemente?", le pregunté.

– "Como puede ver", me respondió, "tengo muchos libros espirituales. Tengo el Menologio[6], las obras de san Juan Crisóstomo, de san Basilio el Grande, muchas otras obras filosóficas y teológicas y numerosos sermones de ilustres predicadores modernos. Mi biblioteca no valdrá menos de cinco mil rublos".

– "¿Tenéis algún libro sobre la oración?", le pregunté.

– "Me encantan los libros sobre oración. He aquí un folleto reciente, escrito por un sacerdote de Petersburgo".

Al mismo tiempo buscaba un comentario sobre el Padre Nuestro. Su señora nos trajo el té, y mientras lo tomábamos nos leyó parte del libro. Leía muy bien. Mientras escuchaba su lectura, yo notaba que la oración brotaba en mi corazón, al tiempo que sentía una gran alegría. De repente vi como una figura que atravesaba el aire; era una figura parecida a la de mi *staretz*. Hice un movimiento brusco, y quise luego disimularlo diciendo; "perdón. Es que me venía el

5. La presencia de la Palabra da un tono especial a la casa.
6. Recopilación de vidas de Santos, siguiendo el año litúrgico. Se publicó en Kiev, entre los años 1684-1705.

sueño". En ese momento tenía la sensación de que el espíritu de mi *staretz* se me acercaba e iluminaba de nuevo mi ser, llenándome de claridad e ideas sobre la oración. La señora terminó de leer, y su marido me preguntó si me había gustado el libro.

–"Mucho", le dije, "me ha gustado mucho. No en vano el Padre Nuestro es la oración más preciosa y sublime. Como que es la oración enseñada por nuestro Señor Jesús. El comentario que hemos escuchado es muy bueno. Pero insiste sobre todo en las obras de la caridad cristiana, en las obras activas de caridad. Yo he leído, sin embargo, en los Padres una explicación que es, ante todo, mística y orientada a la contemplación interior".

– "¿En qué Santos Padres lo has leído?, me preguntaron en seguida. Les respondí:

– "En Máximo el Confesor[7], en Pedro Damasceno[8]; en la *Filocalía*".

– "¿Podrías explicarnos algo?", preguntaron de nuevo con interés.

– "Ciertamente", les dije. "Las primeras palabras: *Padre nuestro, que estás en el cielo*, las explica nuestro libro como un llamado al amor al prójimo,

7. Vivió entre los años 580-662. Es uno de los escritores más famosos de su siglo. Tuvo una vida muy agitada por las controversias mantenidas con diversos herejes.
8. No confundir con *Juan* Damasceno, anterior, más conocido y de mayor valía. Pedro Damasceno vivió en el siglo XII.

considerándonos todos hermanos, hijos de un mismo Padre. Es una explicación muy justa . Pero los Santos Padres añaden un comentario más espiritual. Dicen que esas palabras son también una invitación a aspirar al cielo, donde está nuestro Padre, y a vivir siempre en su presencia. Las palabras: *santificado sea tu nombre,* vuestro libro las explica en el sentido de no tomar en vano el nombre de Dios. Los comentaristas místicos ven también aquí la petición de la oración interior, para que el nombre de Dios esté continuamente en nuestro corazón y de él brote la oración interior, que invoca su nombre. La siguiente petición: *venga a nosotros tu reino,* es explicada por los Santos Padres como la petición de la paz y la alegría de Dios en nuestro corazón. En nuestro libro se dice que las palabras: *danos hoy nuestro pan de cada día* se refieren a las necesidades corporales y a lo que es necesario para ayudar al prójimo. Pero San Máximo el Confesor explica el pan diario como el pan celestial, que alimenta el espíritu, la Palabra de Dios y la unión con él, en el continuo pensamiento de él y en la oración incesante del corazón".

–"¡Ah, la oración interior!", dijo el señor. "Eso es muy difícil; es casi imposible para los que viven en el mundo. Podemos darnos por satisfechos si logramos rezar nuestras oraciones vocales diarias"[9].

---

9. Es uno de los argumentos más reiterados contra la oración como experiencia de la gente normal del pueblo.

– “No es verdad, señor, no es verdad. Si fuera algo superior a nuestras fuerzas, el Señor no nos lo habría mandado hacer. La fuerza de Dios *“se manifiesta en la debilidad”* (1Co 12,9). Y los Santos Padres nos muestran el camino de esta oración interior. Es cierto que los ermitaños, están en una situación diferente. Pero también los seglares pueden acceder a esta oración interior”.

– “No conozco nada sobre el tema”, dijo el señor.

– “Pues si le parece”, dije, “podemos leer algunos párrafos de la *Filocalía*”.

Tomé la *Filocalía* en mis manos, busqué el párrafo de san Juan Damasceno, en la tercera parte, yo leí lo que sigue:

“Es preciso acostumbrarse a invocar el nombre del Señor más que a respirar, en todo tiempo y lugar; y en todas las necesidades. El Apóstol dice: *‘oren sin cesar’*. Con esto nos enseña a acornados de Dios sin cesar: en todo tiempo y lugar, y en todas las ocasiones. Y si haces algo, debes pensar en el supremo hacedor de todas las cosas; si miras la luz, debes pensar en quien hizo la luz y la dividió de las tinieblas; si contemplas el firmamento, debes pensar que Dios hizo el cielo y el mar, y cuanto contienen. Si te pones un vestido, piensa de quién te viene, y agradécele a quien te concede lo necesario para vivir. Dicho brevemente: que todo te sirva para glorificar al Señor; así orarás sin cesar y tu alma estará siempre llena de gozo”.

"Como ve", añadí, "éste es un método fácil para orar interiormente sin cesar".

La lectura de este texto les encantó. El señor me abrazó entusiasmado, miró la *Filocalía,* y dijo:

– "Tengo que comprar este libro. Lo encargaré a Petersburgo. De momento, voy a copiar este párrafo que nos has leído. Díctamelo".

Así lo hice y él lo escribió rápidamente, con su hermosa caligrafía. Después exclamó:

– "¡Dios mío, pero si, justamente, tengo el icono del Damasceno!" (Probablemente san Juan Damasceno).

Abrió el marco, y fijó el escrito sobre la imagen del Santo, al tiempo que decía:

– "He aquí la palabra viva del Santo que representa el icono. Ella me estimulará a poner en práctica sus consejos".

Nos levantamos, y fuimos a cenar. Todos los de la casa, hombres y mujeres, nos sentamos a la misma mesa. ¡Qué silencio y recogimiento durante la comida! Una vez acabada la cena hicimos nuestra oración, también con los niños, y me pidieron que hiciera yo la lectura del *akathistos* a Jesús dulcísimo.

Se retiraron los sirvientes y los niños, y nos quedamos los tres solos en la habitación. Entonces la señora me trajo una camisa blanca y un par de medias. Respetuosamente le dije:

–"Señora, no puedo aceptar las medias, porque no las he usado nunca en mi vida. Desde pequeño llevo vendas en lugar de medias".

Se fue entonces, y volvió en seguida trayendo un tafetán de color amarillo, que fue cortando en tiras. También el señor, protextando que mis zapatos estaban rotos, me trajo un par, completamente nuevo. "Ahora", añadió, "entra en esta habitación y podrás cambiarte de ropa con tranquilidad".

Hice lo que me dijeron, y volví. Me hicieron sentar y me calzaron. Él me colocaba las tiras, y ella el calzado. Protesté, pero fue inútil:

–"Siéntate y calla", me dijeron. "¿Acaso no lavó Jesús los pies a los discípulos?"

No aguanté más. Rompí a llorar, y lloramos los tres. La señora se fue a atender a sus hijos, y yo me fui al jardín con el señor. Allí seguimos conversando otro rato. No nos vencía el sueño, y seguimos charlando, tendidos en los lechos. Intrigado como estaba, se me acercó y preguntó:

–"Vamos a ver. Dime la verdad: ¿quién tú eres? Yo creo que eres de familia noble y que intentas fingir lo contrario. Lees y escribes perfectamente; y piensas bien. Esto no se alcanza sin una buena educación, que no te darían en un pueblo".

–"Todo cuanto he dicho, es la pura verdad", dije. "Jamás he pensado en mentiros, ni engañaros. Mis razonamientos, en realidad, no son míos. Son de mi *staretz,* o de los Santos Padres que he leído. Pero quizá mi fuente principal es mi oración interior, que ilumina todo mi ser. La he aprendido gracias a las enseñanzas de mi *staretz.* Todos pueden legar a ella. Basta con sumergirse silenciosamente en el propio corazón, invocando con la mayor frecuencia posible el nombre de Jesús. Inmediatamente se descubre una luz interior y todo se hace más comprensible. Hasta los misterios del Reino de Dios se hacen más accesibles. Es ya una gran iluminación darse cuenta de que todo esto es posible y ver las reacciones que a uno le dominan desde ese momento. No es difícil discutir con las personas, pues las razones del corazón son anteriores, y más universales, que las razones de la inteligencia. El espíritu puede siempre cultivarse por la ciencia o la experiencia; sólo donde no hay inteligencia, es inútil toda educación.

Lo que nos pasa a los mortales, es que estamos muy lejos de nosotros mismos y no nos interesa entrar en nuestro interior. Huimos de nosotros mismos; nos perdemos en cuatro bagatelas con tal de no encontrarnos en profundidad con nosotros mismos. Buscamos escapatorias, con lo que nuestros deseos se quedan en palabras. Con frecuencia nos decimos: me gustaría hacer oración, mirar a mi interior..., pero no tengo tiempo, las ocupaciones y negocios me impiden dedicarme a ello[10]. Tendríamos que preguntarnos de verdad qué es más importante, si la vida del alma que tiene límites de eternidad, o el cuerpo, que tiene una vida pasajera. De hecho nos afanamos más por esta última. Estas dos referencias, alma y cuerpo, hacen a las personas sabias o necias.

–"Perdóname, hermano", me respondió el señor. "No he preguntado estas cosas por curiosidad. Las he preguntado con sentido cristiano, y porque hace unos años me sucedió algo que me sugirió estas preguntas. Verás. Un buen día vino a nuestra casa un mendigo. Su pasaporte era de soldado retirado. Él estaba viejo y extenuado, vestía puros andrajos. Hablaba poco y con sencillez, como los campesinos. Lo recibimos en el asilo que conoces y a los cinco días cayó enfermo. Lo trasladamos al pabellón y lo cuidamos mi mujer y yo. Era evidente que su fin estaba cercano. Hicimos venir al Párroco para que le administrase los sacramentos. La víspera de su muerte se levantó, me pidió pluma y papel, y me insistió en que cerrase la puerta mientras redactaba su testamento, un testamento que yo después haría llegar a un hijo suyo que vivía en Petersburgo. Me sorprendió enor-

---

10. Vuelve el tema de las dificultades para la oración en la vida normal. El peregrino vuelve también a la carga. Ahora descubre una razón inconsciente, probablemente, y que es de gran interés: "no nos interesa entrar en nuestro interior". La filosofía sigue diciendo, con profundidad humana: la persona humana se especifica por a cantidad de silencio que es capaz de soportar consigo misma.

memente constatar que un hombre así escribiese perfectamente. Tanto la ortografía, como las expresiones manifestaban una persona de educación exquisita. Tengo copia de este testamento, que te mostraré mañana.

Sentí curiosidad por conocer su vida, y habiéndome hecho prometer que no lo diría a nadie hasta después de su muerte, me dijo:

– "Yo era el príncipe N. Era muy rico, y llevaba una vida lujosa y disipada a la vez. Murió mi mujer y viví con mi hijo, que era capitán de la Guardia Imperial. Una noche, mientras me preparaba para asistir a un baile, me enfurecí con mi camarero y, enojado, mandé que lo quitasen de mi servicio y lo devolviesen al campo. Esto sucedía por la noche, y al día siguiente mi camarero murió de una congestión cerebral. El hecho no me creó molestia alguna y, aunque me dolió, lo olvidé pronto. Después de seis semanas comenzó a aparecérseme en sueños el camarero. Todas las noches tenía pesadillas[11]. Y siempre me repetía lo mismo: *'hombre sin conciencia, tú me has matado'*. Las apariciones se fueron haciendo obsesión y prácticamente no me lo podía quitar de encima mientras dormía. Posteriormente la

11. La pesadilla se define como un "ensueño angustioso". Es un fenómeno natural y una experiencia frecuente. Un contenido religioso o moral no la convierte en *visión de origen divino*. Sigue siendo una *pesadilla*.

visión era no sólo del camarero, sino también de otros muertos que lo acompañaban. Eran hombres a quienes yo había tratado mal, y mujeres a las que había seducido. Todos me recriminaban mi vida, y no me dejaban en paz. Me quedé como un esqueleto, y los médicos no podían ayudarme. Marché al extranjero, a ver si lograba librarme de aquellas pesadillas pero éstas aumentaron cada vez más. Volví a Rusia, pero volví más muerto que vivo. Aquello era un infierno, y creo que experimentaba los dolores del infierno más aún que los condenados. Desde entonces no me cuesta nada creer en el infierno. Es más, creo que sé lo que es; y lo sé por experiencia.

Todo eso fue, no obstante, la puerta que me permitió reconocer mi propia vida. Me arrepentí, me confesé, liberé a todos mis criados, y me propuse pasar el resto de mi vida haciendo penitencia, trabajando duro y disfrazado de pobre mendigo. Deseaba, de verdad, humillarme y hacerme el más miserable de todos los hombres. Apenas hube tomado estas decisiones, cesaron las pesadillas, y mi reconciliación con Dios me dio tal gozo y alegría, que me es imposible describirlo. Y yo, que había comprendido por experiencia lo que era el infierno, comprendí también por experiencia lo que era el cielo y cómo el reino de Dios está dentro de nosotros. No necesité más medicinas: al poco tiempo estaba curado. Y provisto del pasaporte de un militar retirado, abandoné mi lugar de origen y comencé mi peregrinar y mendigar por el mundo. Llevo treinta años recorriendo Siberia. A veces me contrato como jornalero otras veces pido limosna en el nombre del Señor. ¡La paz de que gozo ahora no tiene comparación con mis experiencias pasadas! Pocos podrán comprender lo que es pasar, por experiencia, del infierno al cielo. Yo soy uno de ellos".

Me entregó su testamento, y murió al día siguiente. Guardo en mi Biblia una copia de este testamento. Vamos a leerlo. Escucha

– "En el nombre de la gloriosa Trinidad: Padre, Hijo y Espíritu Santo. Hijo mío querido: Hace quince años que no ves a tu padre, pero no por eso te he olvidado. He procurado siempre estar informado de tu vida. Y sigo teniendo hacia ti un amor que me obliga a escribirte mis últimas palabras antes de morir. ¡Me gustaría que te fuesen de provecho para tu vida!

Tú sabes cuánto he sufrido para reparar mi vida lujosa y disipada; pero no sabes lo feliz que soy desde mi arrepentimiento. Espero la muerte con paz y tranquilidad. Estoy en casa de un bienhechor, que lo es también tuyo, pues las delicadezas tenidas con un padre, son delicadezas tenidas con los hijos. Exprésale mi agradecimiento lo mejor que sepas y puedas.

En este testamento te dejo mi bendición y te pido que no olvides al Señor. Conserva limpia tu conciencia; sé bueno, prudente y razonable. Trata con amabilidad a tus subordinados y no desprecies a los mendigos y peregrinos, recordando que sólo este género de vida permitió a tu padre encontrar la paz de su alma.

Ruego a Dios que te conceda su gracia; muero en paz; espero la vida eterna por la misericordia de Nuestro Señor Jesucristo. Tu padre... N".

¡Hermosos recuerdos para pasar la noche!

– "Me sospecho que el asilo os dará bastantes problemas. Hay muchos entre nosotros, los peregrinos, que se hacen tales por amor al ocio incluso algunos son ladrones".

– "Yo creo", dijo el señor, "que esos son casos raros. Nuestra experiencia es buena. Nosotros casi siempre hemos encontrado verdaderos peregrinos. Es más, procuramos ser todavía más amables con los que no lo son de verdad, y les permitimos que se queden algunos días en el asilo. Sucede con frecuencia que, en estos casos, el trato con verdaderos peregrinos y mendigos les cambia, y salen del asilo convertidos. Hace poco tuvimos un ejemplo de éstos. Se trataba de un comerciante de nuestro pueblo. Había caído tan bajo que nadie podía ni verlo. Todos le echaban de la puerta de sus casas, y no le daban ni un pedazo de pan. Era borracho, ladrón y pendenciero. Llevado del hambre, un día se acercó a nuestra casa. Pidió pan y algo de beber. Le recibimos con amabilidad, y le dijimos: "Quédate con nosotros, te daremos todo el aguardiente que quieras, con una sola condición: que tienes que acostarte inmediatamente después de haber bebido. Si armas camorra, no sólo te echaremos fuera, sino que llamaremos a la justicia para que te encarcele por vagabundo. Aceptó, y se quedó con nosotros. Durante algo más de una semana bebió todo cuanto quiso; pero a fin de poder continuar bebiendo, inmediatamente se acostaba, bien en la habitación, bien en el jardín. Cuando le veían lúcido, los demás hermanos le exhortaban a que se cuidase y dejase el alcohol. Así, poco a poco, fue venciendo su vicio, y al cabo de tres meses se había curado completamente. Ahora gana el pan con el sudor de su frente. Anteayer vino a darnos las gracias".

"Qué grande es la sabiduría que nace del amor", pensé. Y exclamé:

–"Bendito sea Dios que en vosotros ha manifestado su gran misericordia".

Después de estas conversaciones dormimos un poco, hasta que la campana nos despertó para la oración de la mañana. Fuimos a la Iglesia, donde ya se encontraban su señora y sus hijos. Asistimos al Oficio, y después a la Misa, los varones, nos colocamos en el coro; la señora y la hija se quedaron fuera, a la entrada del iconostasio, para poder contemplar la elevación del Santísimo. ¡Dios mío, cómo rezaban todos, y cómo derramaban lágrimas de alegría! La expresión de su rostro era tan iluminado que a fuerza de mirarlos, también yo me eché a llorar.

Terminados los Oficios, todos se juntaron a comer: sacerdote, señores, criados, mendigos, enfermos, inválidos y niños. Eran no menos de veinte personas. Mientras comíamos reinaba el silencio y la serenidad. Me atreví a decirle al señor en voz baja

– "En los monasterios se leen vidas de santos durante las comidas. Tenéis el Menologio, y se podría hacer aquí otro tanto".

– "María", dijo a su esposa; "¿qué te parece si adoptásemos esta costumbre? Primero leeré yo; luego tú; después el sacerdote; y luego, por orden, todos los que sepan leer".

El sacerdote, ante esta propuesta, dejó de comer, y dijo:

– "Yo escucharé encantado; en cuanto a la lectura, les pido que me dispensen. No tengo tiempo. Tengo tanto que hacer, que apenas llego a casa, no sé por dónde empezar. Tengo que hacer de todo: cuidar de los niños, del ganado... Y se me pasa el día en estas cosas. No tengo tiempo para instruirme. Todo lo que aprendí en el seminario, hace ya tiempo que lo he olvidado".

Yo estaba extrañadísimo de lo que oía. No obstante, la señora me tomó del brazo, y me dijo:

– "El Padre habla así por humildad. Le gusta humillarse; pero es un sacerdote excelente. Hace veinte años que se quedó viudo, y cuida de la educación de sus hijos. Además, oficia muy bien".

Me vinieron a la mente las palabras de nicetas Stethatos[12] que recoge la *Filocalía*: "Es la disposición del alma la que sabe apreciar la naturaleza de las cosas"; es decir, cada uno se forma la idea del otro por lo que él es. Y posteriormente: "El que haya llegado a la oración y amor verdadero, no verá la diferencia que hay entre un justo y un pecador; ama igualmente a todos los hombres y no los condena; obra como Dios, que hace salir el sol sobre buenos y malos y manda su lluvia sobre justos e injustos".

Y así se restableció el silencio. Frente a mí estaba sentado un mendigo recogido en el asilo; estaba completamente ciego. El dueño de la casa era el que le atendía: le daba la comida, le cortaba el pescado, la daba de beber... Observándole atentamente pude ver que su lengua se movía constantemente. Y pensaba para mí si no estaría rezando la oración a Jesús.

Al final de la comida, una anciana se sintió mal; se ahogaba y daba gemidos. Los dueños la llevaron a su habitación y la acostaron. La señora se quedó allí para cuidarla, el sacerdote fue a buscar los Santos Sacramentos, por si fueran necesarios, y el señor enganchó el carro y envió a buscar al médico. Todos se fueron dispersando.

12. Biógrafo de san Simeón el Nuevo Teólogo, y a su vez él mismo autor espiritual.

En mi interior sentía un hambre especial de oración. No sabía cómo dar rienda suelta a estos deseos, pues hacía ya dos días que me sentía fuera de la soledad y el silencio. Mi corazón parecía un río que buscaba por dónde romper para inundarlo todo. Al tener que reprimirme sentía como un dolor intenso en el corazón. Comprendí entonces por qué los que practican la oración del corazón buscan siempre la soledad y huyen del mundo, escondiéndose de los hombres. Comprendí también por qué el Venerable Hesiquio califica de charlatanería incluso las conversaciones más altas. Y recordé también las palabras de san Efrén de Siria[13]: *"Una palabra es plata, pero el silencio es oro puro"*.

Estos eran mis pensamientos mientras me acercaba al asilo. Al llegar comprobé que todos dormían. Subía al granero, descansé y oré un poco. Cuando despertaron los mendigos, fui en busca del ciego y me lo llevé al jardín. Nos sentamos en un lugar solitario y comencé preguntándole:

– "Dime: ¿rezas la oración continua a Jesús?"

– "Sí. Hace muchos años que la rezo constantemente".

– "¿Y qué efectos notas?", continué preguntándole.

13. Vivió en el siglo IV. El dicho que citamos expresa lo que fue san Efrén: lírico profundo.

– "Uno muy importante: que ni de día ni de noche puedo prescindir de ella".

– "¿Tú cómo has llegado a conocer lo que es la oración interior continua?"

– "Pues mira, yo era un sastre que iba de pueblo en pueblo buscando trabajo. Tuve que quedarme en uno de los pueblos bastante tiempo, trabajando para toda una familia. Un día festivo, en el que no había nada que hacer, descubrí junto a unos íconos tres libros viejos. Pregunté si en la casa había alguien que supiese leer. Me dijeron que no, que aquellos libros habían pertenecido a un tío suyo que, ese sí, había tenido instrucción. Abría al azar uno de los libros, y me topé con estas palabras, que aún no se me han olvidado: *'la oración continua consiste en invocar, sin cesar, el nombre del Señor. El nombre del Señor debe ser invocado en cualquier circunstancia: caminando, sentado, de pie, en el trabajo... En todo tiempo y lugar hay que invocar este santo nombre'*. Reflexioné sobre estas palabras y pensé que esta forma de oración podía compaginarse muy bien con mi trabajo. Mientras cosía podía repetir el nombre del Señor sin mayor dificultad. Lo hice, y me sentí lleno de gozo. Se dieron cuenta los que vivían conmigo y se mofaban de mí. Decían: *'pareces un hechicero recitando exorcismos'*. Entonces, para disimular, dejé de mover los labios, y me limité a mover sólo la lengua. Así los demás no se daban cuenta. Y así me he acostumbrado y recito la oración día y noche. Puedo decir que me hace mucho bien. Continué mi trabajo durante mucho tiempo, pero un buen día me quedé ciego. Toda mi familia sufre de la vista. La comuna del pueblo me buscó asilo en Tobolsk, y ya estaba para irme allí; pero estos señores me han acogido aquí prometiéndome poner su carro a mi disposición para que pueda ir a Tobolsk".

– "¿Y cómo se titula ese libro que leíste?, le pregunté.

– "No lo sé, porque ni siquiera miré el título".

Abrí mi *Filocalía*, y en la cuarta parte, en el *Tratado de Calixto*, encontré las palabras que el ciego me había recitado. Y comencé a leer.

– "Esas son las palabras que leí", dijo el ciego. "Lee, lee; son palabras muy hermosas e interesantes".

Cuando llegué a las palabras que dicen cómo hay que orar con el corazón, me preguntó:

– "Por favor, ¿qué quiere decir eso y cómo se puede lograr esa oración del corazón?

– "Toda esa doctrina", le dije, "está explicada en la *Filocalía*".

Y él me suplicó que le leyera lo relacionado con ella. Y, reflexionando, le dije:

– "Vamos a ver: ¿Cuándo piensas ir a Tobolsk?

– "Cuando quieras", me respondió. "Si quieres, lo antes posible".

– "Entonces... Veamos", le dije. "Yo quería partir mañana. Lo único que tenemos que hacer es ir juntos y en el camino puedo irte leyendo todo lo que hace referencia a la oración del corazón. Yo mismo te indicaré cómo tienes que hacer para lograr un sitio en tu corazón a la oración".

– "¿Y el carro?", preguntó.

– "Deja el carro y no te preocupes por él. De aquí a Tobolsk no hay más de 25 kilómetros. Podemos ir a pie. Iremos despacio y tendremos tiempo suficiente para hablar y orar en la soledad de nuestro camino".

Quedamos, pues, en ello, y así se lo contamos al señor de la casa cuando fuimos a cenar. Le dijimos que no tendríamos necesidad del carro, pues iríamos tranquilamente leyendo la *Filocalía*. Nos dijo:

– "Me ha gustado mucho la *Filocalía*. Tengo ya escrita una carta, y preparado el dinero, para pedirla a Petersburgo. Espero recibirla en el próximo correo".

Y así, al día siguiente, después de haber agradecido muy sinceramente a los señores su acogida y generosidad, nos pusimos en camino. Ellos mismos nos acompañaron durante un kilómetro, donde nos despedimos.

Hacíamos el camino en pequeñas jornadas; de no más de 10 ó 15 kilómetros al día. De vez en cuando nos sentábamos en lugares solitarios, y leíamos la *Filocalía*. Le leí todo lo que hacía referencia a la oración del corazón, siguiendo el orden que me había dado sin *staretz*, o sea, comenzando por los escritos de Nicéforo el Monje, Gregorio el Sinaíta, y así sucesivamente. ¡Con qué atención y satisfacción escuchaba el pobre ciego! Se le notaba feliz. Al ritmo de las lecturas me iba proponiendo problemas que yo no lograba resolver.

Cuando terminamos de leer lo que se refiere a la oración del corazón, me insistió en que le explicase cómo la mente puede encontrar el corazón e introducir allí el nombre de Jesús, de forma que se pueda verdaderamente orar con el corazón. Le dije:

– "Mira: tú, por ejemplo, ahora estás ciego, y no ves los objetos. Sinembargo, puedes representarte aquellas cosas que viste antes de quedarte ciego. Puedes representarte un hombre, uno de sus miembros, un árbol, etc. Y puedes representártelos tan al vivo como si lo estuvieses viendo con los ojos en ese momento. ¿No es verdad?"

– "Sí, efectivamente", respondió el ciego.

– "Pues bien, lo mismo puedes hacer con el corazón. Haz que tu mirada penetre en tu interior, en tu corazón; escucha sus latidos, que son latidos de verdad. Cuando te hayas acostumbrado a escuchar estos latidos, procura relacionar las palabras de la oración interior con el ritmo de los latidos de ese corazón. Así: el primer latido te servirá para decir: *Señor;* el segundo, para pronunciar: *Jesús;* el tercero para pronunciar: *ten misericordia*; el cuarto, para finalizar: de *mí*. Repítelo muchas veces. A ti te resultará más fácil, pues en cierta manera ya estás acostumbrado a repetir la frase. No tienes que hacer más que relacionarla con los latidos del corazón. Así la oración se irá interiorizando y entrando en el corazón. También te servirá relacionar las palabras de la oración del corazón con la respiración. Mientras aspiras el aire, dirás: *Señor Jesús*; y mientras expiras, completarás: *Ten misericordia de mí*. Si lo haces así, al principio sentirás un ligero dolor en el corazón; después se te cambiará en calor gozoso. Procura rechazar cualquier imaginación que te surja durante la oración, pues entonces la oración pierde su pureza y se convierte a esas imaginaciones creando en el supuesto orante puras ilusiones. El *orante* se convierte en *iluso*. ¡Y son dos cosas muy distintas!"

El buen ciego, después de haber escuchado con humildad y atención, puso manos a la obra y comenzó a ejercitar cuanto yo le había dicho. Pasaba así largos ratos, sobre todo durante la noche silenciosa.

Pasados cinco días comenzó a sentir un calor gozoso en el corazón y un deseo irrefrenable de seguir ejercitando la oración del corazón. La oración le iba revelando su amor a Jesús. A veces le parecía descubrir en su corazón como una luz que le subía desde el mismo corazón y le iluminaba completamente. Era una llama que iluminaba la distancia, teniendo la impresión de ver en esa misma distancia. Así le ocurrió una vez. Mientras caminábamos por el bosque, se sumergió silenciosamente en su oración, y, de repente, me dijo:

– "¡Qué pena! Se está quemando la Iglesia y el campanario se desploma!"

– "Deja esas tonterías", le dije. "Es una de las tentaciones que tienes que aprende a rechazar con rapidez. ¿Cómo vas a ver desde aquí, y precisamente tú, lo que pasa en la ciudad? Estamos todavía a diez kilómetros de ella.

El me obedeció y siguió con su oración. Por la tarde llegamos a la ciudad y entonces pude ver los efectos de un incendio: casas incendiadas y el campanario derruido. La gente se afanaba en retirar escombros, admirada de que la caída del campanario no hubiera causado daños personales. Las informaciones que pude a llegar me llevaron a precisar que todo había sucedido en el momento en que el ciego me hablaba de ello en el bosque. Me dijo:

– "Tú pensabas que mi visión era una ilusión, pero no era así. ¿No es para alabar a Dios al ver cómo reparte sus bienes allí donde nos parece imposible: a los pecadores, ciegos, locos...? Pero..., ¡gracias también a ti, que me has enseñado la oración interior del corazón!"

Por mi parte, le dije:

–"Sí, ama a Jesús y dale gracias. Pero cuídate bien de tener tus visiones por revelaciones directas. Tu visión puede explicarse de una forma completamente natural. El alma humana no está ligada a lugares ni distancias. Puede ver en la oscuridad, tanto los objetos próximos como los lejanos; sólo se lo impide la opacidad de nuestro cuerpo, de nuestros pensamientos e imaginaciones inútiles. Cuando nos concentramos hasta prescindir de estas realidades corporales, entonces nuestra alma, o nuestro espíritu, alcanza su dimensión natural y vuelve a ser ella misma, sin impedimento corporal alguno. Y entonces puede suceder lo que te ha sucedido a ti. Mi difunto *staretz* me decía haber conocido personas, *no dadas a la oración*, que tenían el poder de ver en la oscuridad y de penetrar en el pensamiento de los demás. Los verdaderos efectos de la oración son otros. Es sobre todo una alegría que nadie puede expresar del todo, y que no puede compararse con cosa natural alguna. Las cosas materiales son muy poca cosa si se las compara con las verdaderas sensaciones de la gracia. Lo que pasa es que cuando no tenemos experiencia de éstas, las sensaciones sensibles y materiales las identificamos con éstas, y nos parece que son espirituales. ¡Qué error!"

El ciego, que era humilde, escuchó esta explicación, y cambió su forma de ver las cosas. Esto le llevó a crecer en su oración, y sentir más profundamente los verdaderos efectos de la oración[14]. También yo era feliz, y le agradecía al Señor, que me hubiera permitido presenciar sus obras en una persona natural.

Por fin llegamos a Tobolsk, le llevé al asilo, nos despedimos con emoción, y yo seguí mi peregrinación.

Estuve caminando durante un mes, mientras pensaba lo bueno que es encontrar ejemplos como los que yo había encontrado. Leía con frecuencia la *Filocalía*, y repasaba, a su luz, lo que me había pasado con el ciego. Su ejemplo había hecho aumentar en mí la devoción y el amor al Señor. La oración interior del corazón me hacía tan feliz, que no podía pensar en felicidad mayor aquí en la tierra. Y no se trataba sólo de una realidad interior; el mismo mundo exterior tenía para mí algo diverso; todo lo miraba con una luz especial. ¡Todo me llevaba a alabar más al Señor, y a darle gracias! Los hombres, las plantas, los animales... Todo me parecía tener una presencia del Señor, que yo antes no descubría. Ahora todo se me hacía más familiar. A veces parecía como si el cuerpo perdiese su peso natural y yo me sintiese liviano y ágil,

14. Independientemente de la razón o sinrazón de la explicación del peregrino, sus palabras son una seria llamada de atención a visionarios fáciles e ingenuos. Y la actitud humilde del ciego, es perfecta. Mejores aún los efectos que obtuvo por esta actitud: "esto le llevó a crecer en su oración". Esto era lo importante.

sin notar la pesadez del cuerpo. Otras veces entraba de tal manera en mi interior, que admiraba la disposición del cuerpo, de todos sus miembros, de su hermosura...[15] Y daba por ello gracias a Dios. A veces sentía una alegría, como si me hubieran elegido zar... A veces deseaba experimentar pronto la muerte, para poder testimoniarle mi agradecimiento en el mundo de los puros espíritus.

Quizá yo también, en contra de lo que había aconsejado al ciego, le di demasiada importancia a las sensaciones y gustos. O quizá lo permitió así el Señor. Lo cierto es que empecé a tener mis temores[16]. "¿No será, me decía a mí mismo, que se me acerca alguna desgracia?" Y pensaba en lo que me había sucedido con la joven que venía a rezar a la capilla. Me dominaban estos pensamientos poco tranquilizadores. Entonces recordé las palabras de san Juan de Cárpatos: '*con frecuencia el mal se cebará en el maestro, y éste tendrá que sufrir por quienes fueron sus discípulos*'. Luchaba contra estos pensamientos y

15. Una vez más es verdad que las cosas son del color del cristal con que se mira. Ojos limpios ven limpieza y hermosura.

16. Es una prueba más del buen espíritu del peregrino. Hay muchos que sin mucha calidad de vida cristiana en sus existencias tienen seguridades excesivas en relación con todo ese mundo de gustos, sentimientos, emociones, etc. No fueron por aquí los verdaderos espirituales (y menos aún fueron buscadores de todo ese complejo y arriesgado mundo. La misma .Teresa de Jesús tenía las sospechas del peregrino: "*tornaba a temer...(Vida 23,2)*.

procuraba aumentar mi oración. Logré vencerlos. Cuando me sentí más sereno, me dije:

– "¡Que se cumpla la voluntad de Dios! Estoy dispuesto a sufrir las pruebas que me envíe el Señor como reparación por mi dureza y orgullo. Aquellos a quienes enseñé los caminos de la oración interior, ¡ya habían sido preparados por Dios! No fue cosa mía".

Este acto de reconocimiento me serenó por completo, y pude continuar mi camino más contento y alegre que antes. Durante dos días llovió todo lo que quiso, y el camino se hizo tan pesado, que era casi imposible sacar los pies del fango. Anduve todavía por la estepa unos quince kilómetros sin divisar aldea alguna. Ya al caer de la tarde divisé una casilla al borde del camino. Me alegré, pues, finalmente, podría pedir posada y pasar una noche al cubierto. "Quizá por la mañana", pensaba, "habrá ya cambiado el tiempo".

Me acerqué y vi, tendido sobre un banco, a un anciano, borracho, cubierto con un caplote de soldado. Le saludé y dije:

– "¿A quién tengo que dirigirme para poder pasar aquí la noche?"

– "¿A quién?, me dijo. "Pues... a mí. Aquí el amo soy yo. Esta es una casa de postas y aquí se hace el relevo".

– "Bien", le dije. "Hacedme, pues, el favor de poder pasar aquí la noche".

– "¿Tenéis pasaporte?"

– "Se lo entregué. Pero él se puso a gritar:
– "A ver, ¿dónde está tu pasaporte?"
– "Lo tiene en sus manos, señor", le respondí.
Se caló sus lentes, leyó y dijo:
– "Bien. Tienes tus papeles en orden. Puedes pasar aquí la noche. No soy mala persona; haré que te traigan un buen vaso de aguardiente".
– "Gracias, señor; pero no bebo".
– "Bueno, no importa. Al menos podrás cenar con nosotros".
Nos sentamos a la mesa él, la cocinera –una joven que también estaba un poco bebida– y yo. Se pasaron la cena haciéndose reproches y terminaron pegándose. El hombre se fue a dormir a la habitación de las provisiones, y la cocinera se quedó para lavar los platos y los cubiertos, mientras seguía con sus reproches contra el viejo. Viendo que aquello no cambiaba, le pregunté:
– "Por favor, ¿dónde podría acostarme yo? Realmente estoy rendido".
– "Espera un momento y en seguida te prepararé la cama".
Acercó dos bancos debajo de la ventana y colocó encima una manta y una almohada. Me acosté, cerré los ojos, y fingí que dormía. La cocinera siguió durante un largo rato su trabajo, hasta que apagó la luz y sentí que se acercaba a mí. De repente se rompió una ventana que se encontraba en el ángulo de la

pared y un gran ruido se extendió por la casa. Al mismo tiempo se pudieron oír fuera gemidos y gritos. La cocinera, presa del pánico, tuvo un colapso y se desplomó. Yo, a mi vez, salté del camastro, pensando que la tierra se abría bajo mis pies. En esto vi entrar a dos cocheros, que traían a un hombre ensangrentado. Apenas se le podía vislumbrar el rostro. Esto aumentó aún más mi angustia.

Se traba de un correo que tenía que cambiar allí los caballos. El correo, al parecer poco acostumbrado a estas cosas, había calculado mal la distancia para entrar y el timón del carruaje se había incrustado en la ventana. Y como la casa estaba rodeada por un foso, el carro había volcado y el cochero, cayendo sobre una estaca, se había dañado la cara. El correo pidió agua y alcohol para lavar las heridas. Después de haberlo hecho, se tomó él mismo un buen trago, y dijo:

– "¡Los caballos! ¡Denme los caballos!"

Pero me acerqué a él y le dije:

– "¿Cómo vas a viajar en estas condiciones?"

– "Un correo", me respondió, "no tiene tiempo para enfermarse".

Y prosiguió su camino. Los cocheros llevaron a la mujer a una estufa, cerca de la chimenea, mientras decían: "Ha sido el miedo; se le irá pasando". Y la cubrieron con una manta. El jefe de postas, mientras tanto, se sirvió un buen vaso de aguardiente, y se fue a dormir. Y allí quedé yo solo. Al poco rato, se despertó la mujer y comenzó a caminar de un lado para otro, como si estuviera sonámbula. Y se marchó también. Cansado, me puse a rezar y me quedé dormido hasta el amanecer. Al despuntar el día me levanté, me despedí del jefe de postas y reemprendí mi camino, dando gracias a Dios, que me había librado de un grave peligro.

Seis años después, pasando por un monasterio de mujeres, pasé a la Iglesia a rezar. La abadesa me recibió muy hospitalariamente después de la liturgia, y me invitó a tomar un poco de té. En ese momento le anunciaron una visita inesperada, y me dejó en la habitación con algunas monjas que la habían acompañado. Al ver a una de ellas, que servía humildemente, me llamó la atención y le pregunté:

– "Hermana, ¿hace mucho tiempo que estáis en el monasterio?"

– "Cinco años", respondió. "Cuando vine no estaba bien de la cabeza. Pero el Señor se ha apiadado de mí. La madre abadesa me tuvo junto a sí y me ha persuadido a quedarme".

– "¿Y cómo fue que perdisteis el juicio?", continué.

– "Fue por un susto. Yo trabajaba en una casa de postas. Una noche, mientras dormíamos, el carro derrumbó una ventana, y enloquecí del miedo. Durante un año, mis padres me llevaron a distintos lugares de devoción, pero sólo aquí he logrado curarme".

Al oír el relato; me alegré sobremanera y di gracias a Dios que se acuerda de los pobres.

– "Tengo otras muchas aventuras", dije dirigiéndome a mi padre espiritual. "Si quisiera contaros todas, no me bastarían los tres días. Pero, si queréis, puedo contaros todavía una. Es curiosísima. En un día de verano, radiante de sol, divisé a cierta distancia un cementerio y un *pegoste*, es decir, una iglesia con varias casas para los servidores del culto de esa iglesia. Las campanas llamaban a la liturgia y apresuré mi paso para poder asistir. Iba llegando también la gente de los alrededores. Algunos de ellos, que estaban sentados en la hierba, al ver que yo aceleraba el paso, dijeron:

– "No te apures. Tienes tiempo suficiente. El cura está enfermo y dice la liturgia muy despacio. ¡Buena gana de estar tanto tiempo de pie!"

En efecto, la liturgia se celebró despacio; el joven sacerdote, pálido y demacrado, celebraba con lentitud, piedad y sentimiento religioso. Y al final del oficio, pronunció un excelente sermón sobre cómo adquirir el amor a Dios. Después de la liturgia, el buen sacerdote me invitó a comer. Y durante la comida, le dije:

– "Padre, veo que has celebrado la liturgia con verdadera piedad, pero muy lentamente".

–"Sí, ciertamente. Sé que a mis feligreses no les gusta, pero no hay nada que hacer. A mí me gusta ir despacio y saborear las palabras. Sin esta sabiduría interior, las palabras no me dicen nada, ni a mí, ni a mis feligreses. Lo que importa es la interioridad, no la materialidad de las palabras. ¡Y qué pocos son los que se interesan por esta sabiduría interior! A pocos les importa".

–"Pero ¡será muy difícil conseguirla!", le dije: "¿Cómo hacerlo?"

–"No es difícil", me contestó. "Hay un medio muy sencillo para llegar a ser una persona de vida interior. Se toma un texto de la Sagrada Escritura; se lee despacio; se concentra en él el mayor tiempo posible. Pronto se comienza a percibir que el alma se va iluminando. Para orar vocalmente se hace algo parecido: se elige una oración breve, de pocas palabras pero cargadas de sentido, se la repite con frecuencia y durante mucho tiempo, y así la oración se hace gustosa".

Me gustó la explicación del sacerdote, pues era muy simple, al tiempo que profunda. Agradecí a Dios haberme hecho conocer a un buen pastor de su Iglesia. Terminada la comida, me dijo el sacerdote:

–"Puedes descansar un poquito. Yo voy a leer la palabra de Dios y a preparar mi sermón de mañana".

Me fui a la cocina. No había más que una anciana encorvada, que estaba sentada en un rincón y no paraba de toser. Me senté junto a un claro de luz, saqué mi *Filocalía*, y me puse a leer en voz baja. Después de un rato caí en la cuenta de que la anciana rezaba sin cesar la oración a Jesús. Me alegró encontrar también allí repetir con tanta frecuencia el nombre del Señor Jesús. Le dije:

– "¡Qué cosa tan estupenda hacéis, doña, repitiendo con tanta frecuencia la oración a Jesús! ¡Es sin duda lo mejor que podéis hacer!"

– "¡Oh sí!", dijo ella. "Esta oración es todo mi gozo. ¡Y que el Señor, efectivamente, tenga misericordia de mí al final de mi vida!"

– "¿Hace mucho tiempo que rezas así?", le pregunté.

– "Desde mi juventud", me respondió. "¿Cómo podría yo prescindir de esta oración se me ha acompañado siempre y me ha librado de tantos peligros y de la muerte?"

– "¿Cómo ha sido eso?", le dije. "Cuéntame algo, por favor. Sería un servicio al Señor y a la oración a Jesús".

Dejé mi *Filocalía* en la alforja, me acerqué más a la anciana, y ella comenzó su relato:

– "Yo era joven y guapa, y mis padres quisieron casarme. La víspera de nuestra boda, vino mi novio a casa, pero nada más entrar en ella le dio un colapso y cayó fulminado. No se pudo hacer nada. Esto me impresionó de tal manera, que renuncié al matrimonio para dedicarme a las cosas del espíritu. Quise visitar los lugares santos, pero, siendo tan joven, tuve miedo de hacer el camino, por temor a los malhechores, que podrían atacarme. Conocí entonces a una anciana peregrina. Ella me enseñó a recitar esta oración, asegurándome que con ella no me sucedería nada malo en mi caminar. Fiada en sus palabras he visitado diversos lugares santos, y nunca me ha pasado nada. Mis padres no me dieron dinero para los viajes. Cuando he llegado a la vejez, este buen sacerdote me ha acogido, y me ofreció comida y alojamiento. ¿Qué más puedo pedir?"

Escuché este relato emocionado y no sabía cómo agradecer a Dios aquel día, en el que tantos buenos ejemplos había podido ver. Pedí la bendición al sacerdote, y emprendí de nuevo mi peregrinar lleno de gozo.

– "Para terminar", dije a mi padre espiritual, "voy a contaros lo que sigue. Atravesando la provincia de Kazán, para venir aquí, tuve la oportunidad de comprobar cómo el poder de la oración se revela incluso a quienes la practican sin conocerla, y que su práctica es camino rápido para llegar a la divina contemplación.

Una vez tuve que detenerme en un pueblo tártaro. Al entrar en el pueblo, vi junto a una casa un coche y un cochero ruso. Los caballos habían sido desenganchados y pacían cerca de donde estaba la carroza. Me alegré por encontrarme entre cristianos, y decidí pedir allí alojamiento. Me acerqué al cochero y le pregunté quién era el dueño de la carroza. Me contestó que su dueño iba haciendo el camino de Kazán a Crimea. Mientras estábamos hablando, el señor, que iba dentro de la carroza, corrió los visillos y me dijo:

– "Voy a pasar aquí la noche, pero prefiero no entrar en casa de tártaros, porque son muy sucios. Prefiero pasarla en la carroza".

Bajó de la carroza, se puso a caminar y entablamos conversación. Después de hablar sobre varias cosas, me contó lo siguiente:

– "Hasta los setenta años serví en la mañana, donde llegué a ser capitán. Al ir envejeciendo noté que me iba atacando la gota, enfermedad incurable. Pedí el retiro de la marina, y me establecí en Crimea, donde mi mujer tenía unas posesiones y una casa de campo. Pero mi mujer, a quien gustaban las fiestas y juegos, se cansó de vivir con un viejo inválido y se fue a vivir a Kazán. Vive allí con nuestra hija, casada con un funcionario. Se llevó todo lo que teníamos, incluida la servidumbre. A mí me dejó solo, con un muchacho de ocho años que es ahijado mío.

Así viví durante tres años. El muchacho era muy despierto, y me valía de mucho: me hacía la habitación, encendía la cocina, preparaba la comida y calentaba el samóvar. Por otra parte, era muy nervioso: corría, gritaba, estaba siempre haciendo ruido.

Me tenía cansado. Quizá por mi aburrimiento, y por mi misma enfermedad, me dedicaba a la lectura de autores espirituales. Tenía, entre otro un libro excelente de Gregorio Palamas, sobre la oración a Jesús. Pero el muchacho continuaba haciéndome la vida imposible y no sabía qué hacer para que cambiase.

Hasta que se me ocurrió una idea. Le obligué a sentarse en un banco junto a mí, y repetir continuamente la oración a Jesús. Como es normal, al principio esto le aburría, y para demostrarlo se estaba allí, pero callado, sin rezar la oración. Quise obligarle a rezarla y tomé un látigo. Cuando él rezaba, yo leía tranquilamente o escuchaba su oración. Cuando se callaba, le mostraba el látigo, lo temía y volvía de nuevo a la oración. El método fue eficaz, y la paz volvió a mi casa. Pasado algún tiempo, me di cuenta de que ya no era necesario el látigo. El muchacho cumplía su cometido, pero ahora con gusto y fervor. Con ello iba cambiando su carácter. Se volvió dulce y silencioso, y cada vez cumplía mejor sus deberes domésticos. Me alegró tanto su modo de proceder, que creí oportuno concederle mayor libertad. Y aquí viene lo más sorprendente: se había acostumbrado de tal manera a la oración a Jesús que seguía repitiéndola constantemente en sus quehaceres. Cuando le hablaba, y cuando le pregunté expresamente por esta oración continua, me contestó que sentía un deseo irresistible a la oración.

– "¿Y qué es lo que sientes?", le dije.

– "Nada especial", me decía. "Pero me siento bien rezándola".

– "Entonces, ¿te sientes feliz?"

– "Sí, me siento muy feliz. No sé cómo explicarlo, pero es así".

El muchacho tenía ya doce años cuando estalló la guerra de Crimea. Yo me fui a vivir con mi hija a Kazán, y me lo llevé conmigo. Le pusimos a trabajar en la cocina, con los otros domésticos. Pero se encontraba mal en aquel ambiente. Los compañeros le distraían continuamente y no le dejaban rezar su oración. A los tres meses vino a verme y me dijo:

– "Me vuelvo a casa. No puedo soportar tanto ruido como hay aquí".

Intenté disuadirle, y le dije:

– "Pero... ¿cómo vas a ir tan lejos, solo y en pleno invierno? Espera un poco, a que me vaya yo, y entonces te llevaré conmigo".

Pero al día siguiente ya había desaparecido. Mandé a los criados que le buscasen, pero todo inútil. Un día recibí una carta de Crimea. La escribían los guardianes de nuestra casa, y decían que, el día siguiente a la Pascua, le habían encontrado muerto en la casa deshabitada. Estaba tendido en el suelo de mi habitación, mirando al cielo, los brazos piadosamente cruzado sobre el pecho, el gorro puesto, y cubierto con la ropa que usaba siempre en casa, la misma que llevaba cuando huyó.

Lo enterraron en mi jardín. Me sorprendió la rapidez con que había llegado hasta allí. Nos había dejado el 24 de febrero y fue hallado muerto el 4 de abril. ¡Había recorrido tres mil kilómetros en un mes! Apenas se podía hacer este recorrido en tan poco tiempo a caballo. Suponía unos cien kilómetros diarios. Y era un muchacho todavía, que, además había partido sin nada: ni comida, ni pasaporte, ni vestido... Podría ser que hubiera encontrado un carro en el camino y que, compadecidos, le hubieran socorrido. Pero incluso esto, no es tan fácil, sino es un momento especial de protección divina. Y terminó el relato con estas palabras:

– "¡Mi jovencito servidor conoció así el fruto de la oración! En cambio yo, estoy al final de mi vida y no he logrado esa altura".

Entonces le dije:

– "Yo conozco ese libro tan excelente de Gregorio Palamas del que has hablado. Pero habla sólo de la oración vocal. Deberías leer la *Filocalía* y ahí encontrarías la enseñanza perfecta de la oración interior a Jesús con los efectos que produce".

Aceptó mis palabras y me prometió que se procuraría el libro lo antes posible.

Y yo pensaba dentro de mí:

"¡Dios mío! ¡Hay que ver cómo se revela el poder de Dios en esta oración! ¡Qué revelador ha sido el relato del jovencito! El látigo enseñó a este muchacho la oración y se convirtió así en instrumento de consuelo. ¿Acaso las penas y sufrimientos que encontramos en el camino no son el látigo que utiliza Dios para procurarnos la felicidad? ¿Por qué, entonces, habíamos de temerlos tanto? Él nos ama con amor infinito, y los látigos, nos enseñan a orar, conduciéndonos a verdaderas alegrías".

Al terminar estos relatos, le dije a mi padre espiritual:

– "Perdóname, padre, en nombre de Dios. He hablado demasiado, y los Santos Padres dicen que las conversaciones largas, aunque sean espirituales, no son más que pérdida de tiempo. Ya es hora de ir a buscar a quien habrá de acompañarme hasta Jerusalén. Ruega por mí, pobre pecador, para que el Señor, en su gran misericordia, haga que mi viaje sea para bien de mi alma".

– "Lo deseo de todo corazón", me dijo. "Que la gracia de Dios guíe tus pasos y te acompañe, como hizo con Tobías el arcángel Rafael".

RELATO QUINTO

Staretz

Ha pasado ya un año desde mi último encuentro con el Peregrino y ahora oigo llamar suavemente a la puerta. Una voz suplicante me anuncia la llegada de este piadoso hermano, a quien esperaba con tanta ansiedad:

–¡Entra, hermano! Juntos demos gracia al Señor, que ha bendecido tu ida y tu vuelta.

Peregrino

– Gloria y acción de gracias al Altísimo por su misericordia, porque él dispone todas las cosas según su designio, siempre favorable a nosotros peregrinos y extranjeros en este mundo.

He aquí a este pecador, que os dejó hace un año, hallado digno, por la misericordia de Dios, de veros nuevamente y recibir vuestro saludo.

Por supuesto, esperáis de mí una amplia descripción de Jerusalén, la Ciudad Santa de Dios, hacia la que mi alma se sentía atraída, centro de mis pensamientos. Pero no siempre es posible realizar los propios deseos. Y éste ha sido mi caso. ¿Podrá maravillar que no le haya sido concedido a un pobre pecador como yo pisar aquella tierra sagrada, que sintió las huellas de Nuestro Señor Jesucristo?

¿Recordáis, venerado padre, que el año pasado salí de aquí con un compañero viejo y sordo, y que llevaba carta de un mercader de Irkutsk para un hijo suyo, en Odesa, pidiéndole que me embarcase a Jerusalén? Pues bien; llegamos en poco tiempo y felizmente a Odesa. Mi compañero reservó en seguida un pasaje para la nave que le llevaría a Constantinopla, y partió. Yo, por mí parte, estuve buscando al hijo del mercader de Irkutsk para entregarle la carta. Encontré en seguida la casa y cuál no sería mi estupor y pena cuando supe que la persona buscada había muerto hacía ya tres semanas, después de una breve enfermedad, y había sido enterrada. A pesar de mi profunda tristeza, me confié a la voluntad de Dios.

La familia estaba de luto. La viuda, a quien quedaban tres hijos pequeños, estaba tan desesperada que lloraba continuamente y con frecuencia le sorprendía un colapso. Parecía no poder sobreponerse a tan fuerte dolor. A pesar de todo, me acogió afectuosamente. No teniendo posibilidad, en estas circunstancias, de enviarme a Jerusalén, me propuso permanecer dos semanas en su casa, hasta que llegase a Odesa el padre del difunto, tal como había prometido, y para arreglar los asuntos familiares.

Y allí me quedé. Pasó una semana, un mes, y después otro. El mercader escribió una carta en la que se excusaba de no haber podido ir debido a los negocios personales. Aconsejaba a la viuda pagar a los empleados y llegarse, con sus hijos, a Irkutsk. Comenzó entonces tal alboroto y movimiento en aquella casa, que me di cuenta de que no había más lugar para mí. Les di las gracias por la hospitalidad y me despedí. Y comencé, de nuevo, mis peregrinaciones por Rusia.

Pensaba y repensaba: ¿adónde voy a ir? finalmente decidí que lo primero que tenía que hacer era llegarme hasta Kiev, donde hacía muchos años que no había estado.

Me puse en camino. Si bien en un principio me sentía afligido por no haber podido realizar mi deseo de ir a Jerusalén, pensé, sin embargo, que tampoco esto era ajeno a la providencia de Dios. Me tranquilicé en la esperanza de que Dios, amigo de los hombres, en su bondad habría aceptado la intención en lugar de la acción, no dejando sin beneficio espiritual mi pobre viaje.

Y así fue. Por los caminos encontré a muchas personas que me revelaron muchas cosas que yo desconocía y que, para mi bien, alumbraron la oscuridad de mi alma. Si no hubiera emprendido aquel camino por necesidad, no habría encontrado aquellos bienhechores espirituales.

De día caminaba en compañía de la oración; por la tarde me detenía a descansar y leía la *Filocalía* para fortificar y estimular mi alma contra los invisibles enemigos de la salvación.

A unos setenta kilómetros de Odesa me sucedió un caso extraño. Vi pasar unos treinta carros cargados de mercancía. El primer conductor, que era el jefe, iba andando junto a su caballo, mientras los otros iban en grupo un poco detrás de él. La carretera bordeaba un pequeño lago, alimentado por un torrente, en el que el hielo, roto por el ambiente primaveral flotaba en el agua y se amontonaba en la orilla con un ruido espantoso. De repente, el primer conductor, un joven, detuvo el caballo y detrás tuvieron que pararse también todos los demás carros. Los compañeros le alcanzaron corriendo y vieron que el joven se desnudaba. Le preguntaron por qué lo hacía, y respondió que tenía muchas ganas de bañarse en el lago. Atónitos, unos comenzaron a reírse, otros a tomarle el pelo llamándole loco, y el mayor, que era hermano suyo, trató de convencerle a que siguiese, dándole un empujón. Se libró de él: no pensaba escucharle. Los más jóvenes comenzaron a sacar agua del lago con los cubos que servían para abrevar los caballos y a echársela encima para divertirse, a la vez que decían: "¡El baño te lo damos nosotros!". Al sentir el agua, respondió: "¡Qué estupendo!", y se tiró al suelo mientras continuaban echándole agua. Poco después se tendió en su sitio, y expiró tranquilamente. Quedaron todos aterrados y no comprendían qué era lo que había sucedido. Los mayores se movían en su entorno y decidieron que era preciso avisar a la autoridad; los otros concluyeron diciendo que esta muerte quedaba inscrita en su destino.

Permanecí allí una hora y partí de nuevo. Después de haber andado unos cinco kilómetros vi un pueblecito al lado de la carretera principal. Al entrar en él me topé con un viejo sacerdote que paseaba por la calle. Pensé contarle lo que me había sucedido para saber su opinión.

El sacerdote me invitó a su casa. Le conté lo que había visto y le pedí que me explicase la causa de todo aquello. "Sólo puedo decirte, querido hermano, que en la naturaleza hay muchas cosas misteriosas e incomprensibles a nuestra mente. Yo creo que Dios ha dispuesto así las cosas para demostrar más claramente al hombre su gobierno y providencia sobre la naturaleza, a veces incluso con cambios extraordinarios e inmediatos en sus leyes. Yo mismo fui una vez testigo de un hecho parecido.

No lejos de nuestro pueblo hay un precipicio, muy profundo y escarpado, aunque no muy ancho, pero de unos sesenta pies o más de profundidad. Uno se espanta con sólo mirar hacia abajo, al fondo tenebroso. Se había construido sobre él un pequeño puente. Un campesino de mi parroquia, un hombre casero y muy respetable, sintió súbitamente el impulso irresistible de tirarse desde el puente al abismo. Toda una semana luchó contra este pensamiento venciéndolo. Pero no logrando dominarlo por más tiempo, un día se levantó de madrugada, se fue al precipicio y se tiró. En seguida se oyeron sus gritos y se logró sacarlo, aunque con gran dificultad. Tenía las piernas rotas. Cuando le preguntaron porqué se había tirado, el viejo respondió que a pesar del dolor que sentía en aquellos momentos, no obstante estaba tranquilo, porque había podido satisfacer aquella irresistible atracción que le había obsesionado. Estuvo en el hospital más de un año. Yo le visitaba con frecuencia, y cuando veía a los médicos junto a él me venían ganas de preguntarles, como tú lo has hecho conmigo, cómo se explicaba aquello. Los médicos, todos de acuerdo, me dijeron que se trataba de un desvarío. Les pedí que me explicasen científicamente qué era eso y por qué se apoderaba así de una persona, pero no lograron decirme nada. Sólo me dijeron que se trataba de un misterio de la naturaleza, que la ciencia no había aún logrado explicar. Yo observé que si un hombre, ante este misterio de la naturaleza, se hubiese dirigido a Dios orando, incluso aquel desvarío irresistible no habría surtido efecto. Realmente hay muchos hechos en la vida humana que no son claramente comprensibles".

Mientras hablábamos se nos echó encima la oscuridad y me quedé allí toda la noche. Por la mañana el alcalde envió su secretario al sacerdote para pedirle que enterrase al muerto en el cementerio. Le hizo saber que la autopsia no había descubierto signo alguno de alteración mental y atribuía la muerte a un síncope.

"¿Ves?", me dijo el sacerdote, "ni siquiera la medicina ha podido determinar las causas de la irresistible atracción de aquel hombre por el agua".

Saludé al sacerdote y seguí mi camino. Después de algunos días llegué, bastante cansado, a un gran centro comercial llamado Belaja Tserkov. Como se venía la noche encima, busqué un lugar donde dormir. Encontré en la plaza del mercado a un hombre que también parecía peregrino y andaba preguntando en las diversas tiendas y puestos por un cierto conocido suyo que vivía allí. Al verme, me dijo:

"Por la pinta, también tú eres peregrino. Ven conmigo y buscaremos a un hombre llamado Evreinov, que vive en esta ciudad. Es un buen cristiano, tiene una rica posada y recibe con gusto a los peregrinos. Aquí tengo esta dirección".

Acepté complacido y en seguida encontramos la posada. Aunque el dueño estaba ausente, la mujer, una buena vieja, nos acogió amablemente y nos condujo al desván para que pudiéramos descansar. Nos acomodamos y descansamos un poco.

Después llegó el dueño y nos invitó a cenar con él. Durante la cena comenzamos a hablar –quiénes éramos y de dónde veníamos–, y el discurso recayó sobre el significado del nombre Evreinov[1]:

"Os diré", fueron sus primeras palabras. Y comenzó a narrar la historia. "Mi padre era hebreo, había nacido en Sklov, y odiaba a los cristianos. Desde pequeño me preparó para ser rabino, estudiando con verdadero empeño todas las patrañas hebreas contra los cristianos. Una vez tuvo que pasar por un cementerio cristiano. Vio una calavera que probablemente había sido desenterrada al cavar una fosa aquellos días. La calavera tenía las dos mandíbulas y algunos dientes. Comenzó a burlarse maliciosamente de ella: la escupió, la insultó y la pisó. No contento con esto, la cogió y la colgó de un palo, como se acostumbra a hacer con los huesos de los animales para espantar a los transeúntes. Contento con su hazaña, se marchó a casa. La noche siguiente, apenas se hubo dormido, se le apareció de repente un desconocido que le recriminó duramente, diciéndole: "¿Cómo te has atrevido a profanar mis restos mortales? ¡Yo soy cristiano, mientras tú eres enemigo de Cristo!" La visión se repitió varias veces durante la noche y no consiguió dormir ni descansar. Posteriormente la visión comenzó a molestarle también de día, presentándosele a la vista y haciéndole oír el eco de su recriminación. Cuanto más tiempo pasaba, más

---

1. Literalmente significa: hijo de hebreo.

frecuente se hacía la visión. Deprimido, atemorizado y exhausto, corrió a ver al rabino, quien oró por él y le exorcitó. No obstante, la visión no sólo no cesó, sino que se repitió con más frecuencia e insidia.

El hecho comenzó a saberse, y un cristiano, con el que mantenía relaciones de negocios, le aconsejó convertirse al cristianismo, porque no tenía otra salida si quería verse libre de la inquietante visión. Aunque el hebreo no estaba convencido, no obstante respondió: "Estaría dispuesto a hacer lo que me dices, si antes pudiera librarme de esta intolerable visión". El cristiano se alegró de estas palabras y le convenció de que pidiese al obispo de aquel lugar ser bautizado y recibido en la iglesia. La petición era escrita y el judío, aunque sin mucha gana, la rubricó. Y desde el momento en que firmó la petición al obispo, dejó de atormentarle la visión. Quedó feliz y satisfecho, y sintió nacerle una fe tan viva en Jesucristo que se dirigió inmediatamente al obispo, le contó lo sucedido y le confesó que deseaba vivamente recibir el bautismo. Aprendió rápidamente y con avidez los dogmas de la fe cristiana, recibió el bautismo y se trasladó a vivir a esta ciudad, donde se casó con mi madre, una buena cristiana. Llevó una vida devota y muy confortable, y era muy generoso con los pobres. Quiso que también lo fuera yo, y antes de morir me dio, con su bendición, pertinentes consejos en este sentido. Esta es la razón de mi nombre, Evreinov".

Escuché con reverencia este relato, y pensé: "¡Dios mío! ¡Qué bueno es el Señor Jesús y cuán grande su amor! Son infinitos los caminos por los que llama a los pecadores, y profunda la sabiduría con que convierte hechos mezquinos en grandes acontecimientos. ¿Quién podía pensar que la bravata de un hebreo le iba a conducir al conocimiento de Jesucristo y a una vida devota?"

Terminada la cena, dimos gracias a Dios y a nuestro hospedero y nos fuimos a descansar al desván. No teníamos sueño y nos pusimos a hablar un poco. Él me dijo que era comerciante en Moghilev; había vivido dos años en Bessarabia como novicio en uno de aquellos monasterios, pero sólo tenía el pasaporte que caducaba en fecha precisa, pasaporte provisorio. Se dirigía ahora a su ciudad para obtener de la comunidad de comerciantes el debido consentimiento y entrar definitivamente en la vida religiosa.

Alabó mucho los monasterios de Bessarabia: "Me satisfacían aquellos monasterios, así como su constitución y reglas, y la vida dura de muchos devotos *staretz* que allí viven". Me aseguró que son distintos de los rusos como el cielo de la tierra, y me insistía para que yo hiciese como él.

Mientras estábamos hablando de estas cosas llevaron al desván a una tercera persona, que se había presentado allí para pasar la noche. Era un suboficial, que iba a casa con permiso. Nos dimos cuenta de que estaba cansado del viaje, rezamos juntos y nos acostamos.

Nos levantamos pronto preparándonos para emprender de nuevo el camino, pero precisamente cuando íbamos a despedirnos de Evreinov oímos que tocaban a maitines. Pensamos lo que convenía hacer: "¿Cómo vamos a irnos sin pasar por la iglesia? Es mejor quedarnos a Maitines, rezar nuestras oraciones en la iglesia y así nuestro camino será más alegre". Lo decidimos e invitamos al suboficial. Él nos contestó: "Si estamos de viaje, ¿para qué pararnos en una iglesia? ¿Qué le importa a Dios? ¡Lleguemos primero a casa y después rezaremos! Id vosotros, si queréis; yo no pienso ir. Mientras rezáis Maitines habré caminado ya cinco kilómetros; quiero llegar a casa cuanto antes". El comerciante le respondió: "¡Cuidado, hermano, con adelantar los designios de Dios!"

Y así nosotros nos dirigimos a la iglesia y el suboficial se puso en camino. Nos quedamos a Maitines y al resto de la liturgia. Después volvimos a nuestro desván y comenzamos a preparar las alforjas. Entró la señora, con el *samovar*[2], y nos dijo: "¿Adónde vais? Bebed el té y comed algo; no os dejaremos partir con hambre".

---

2. Una especie de jarra con agua caliente para el té.

No había pasado media hora desde que estamos sentados en torno al *samovar*, cuando se nos presenta, jadeante, el suboficial:

– "He vuelto a vosotros con dolor y alegría".

"¿Qué queréis decir?", le preguntamos.

– "Veréis: apenas os había dejado pensé ir a una taberna a cambiar un cheque y a beber algo, a fin de caminar mejor. Voy, cambio el cheque y me pongo en seguida en camino. No había andado más de tres kilómetros cuando me vino la idea de contar el dinero que había cambiado. Me siento al borde del camino y saco el dinero. Todo bien. De pronto me doy cuenta de que me falta el pasaporte. Busco, pero no lo hallo. No encuentro más que unos papeles y el dinero. La ansiedad me hacía perder la cabeza. "Lo tengo que haber dejado en la taberna, al cambiar el dinero", me decía. "Tendré que volver corriendo". Corro y corro, y vuelve a dominarme la angustia: "¿y si no lo hubiera dejado allí?" En la taberna me dijeron que no lo tenían; fue la desesperación. No me quedaba más remedio que buscar y rebuscar en los lugares donde había estado y a lo largo de la carretera.

Tuve suerte: lo encontré en la tierra, entre la paja y la suciedad, pisado y enfangado. ¡Gracias a Dios! Me parecía liberarme del peso de una montaña. No importaba mucho si estaba todo sucio. Al menos podía ir y venir, caminar sin miedo a perder la vida. Pero he venido aquí para contaros esto y porque, corriendo, me he desollado un pie y lo tengo en carne viva; no puedo caminar, y necesito curarme la herida".

– "¿Ves, hermano?", comenzó diciendo el mercader. "Esto te ha sucedido porque no quisiste oírnos y venir a rezar con nosotros a la iglesia. Querías adelantarnos, y todavía estás aquí; y, además, cojo. Te había dicho que no debías adelantarte a los designios de Dios. No solamente no fuiste a la iglesia, sino que incluso dijiste que nuestras oraciones no servían a Dios. Esto, hermano, estuvo mal. Es cierto que Dios no necesita nuestras oraciones de pecadores, pero le gustan por el amor que nos tiene. Y no sólo ama la oración santa, la que el Espíritu suscita y alimenta en nosotros; nos la exige cuando dice: "Permaneced en mí y yo en vosotros" (Jn 15,4). Dios estima como preciosa toda intención, impulso, incluso pensamiento, dirigido a su gloria y salvación nuestra. Por todo esto, la infinita ternura de Dios nos recompensa con creces. El amor de Dios concede gracias muy superiores a las que merecen las acciones humanas. Si tú le das a Dios una pizca de nada, él te lo recompensa en oro. Con sólo que te propongas ir al Padre, él te vendrá al encuentro. Bastan pocas palabras: "¡Acógeme, Señor; ten piedad de mí", y él te abrazará y te besará. Este es el amor que el Padre tiene a sus hijos. Gracias a este amor, él se alegra del más pequeño gesto que hagamos por nuestra salvación. Piensa un poco qué gloria puede derivar al Señor, y a ti qué ventajas si rezas un poco, aunque después tus pensamientos se desvíen de nuevo; o si haces una acción buena, aunque pequeña, como, por ejemplo, decir una oración, postrarte diez veces, suspirar con el corazón el nombre de Jesucristo tener un buen pensamiento, leer algo edificante, abstenerte de un manjar o soportar en silencio una ofensa. Todo esto te puede parecer insuficiente e infructuoso para tu salvación. ¡Pero no es verdad! Ninguna de estas pequeñas acciones es vana ni pasará inadvertida a la mirada omnipotente de Dios. Todas serán recompensadas con creces, no sólo en la vida eterna, sino también en ésta. Lo afirma Juan Crisóstomo: "Ningún bien –dice– será olvidado por el rectísimo juez. Si nuestros pecados serán examinados tan minuciosamente que tendremos que responder de cualquier palabra, deseo y pensamiento, lo serán más aún las buenas acciones. Por pequeñas que sean, serán valoradas con cuidado exquisito y se les asignará su mérito ante nuestro Juez amoroso".

Te diré una cosa que vi con mis propios ojos el año pasado. En mi monasterio de Bessarabia había un *staretz* que llevaba una vida santa. Un día se vio sorprendido por una tentación: sintió el deseo de comer pescado seco. Y como en aquel momento no lo había en el convento, pensó ir al mercado y comprarlo. Luchó largamente contra aquel pensamiento, diciéndose a sí mismo que un monje tiene que contentarse con el alimento común de los hermanos y evitar a toda costa la glotonería. Además, para un monje ir al mercado y andar entre la gente era fuente de tentación y algo impropio. Prevalecieron, no obstante, las insidias del enemigo sobre su razón, y el monje, cediendo a la tentación, fue a comprar el pescado. Salido del monasterio, se dio cuenta durante el trayecto de que no llevaba el rosario. Y pensó: "¿Y puedo ir así, como un guerrero sin espada? Esto es impropio; la gente, al encontrarme, me juzgará y será inducida a tentación viendo a un monje sin rosario". Quería volver a buscarlo, pero hurgando en los bolsos lo encontró. Lo sacó, se hizo con él la señala de la cruz, se lo enroscó en las manos y siguió tranquilo. Estaba ya cerca del mercado cuando vio junto a una tienda un caballo con una carga de enormes cubas. En un momento, el caballo se espantó no sé con qué motivo y se encabritó con todas sus fuerzas. Rojándosele le mordió en la espalda y lo tiró por tierra, sin hacerle, no obstante, grave daño. El carro volcó a dos pasos de él, haciéndose añicos. Pero él ya se había levantado. Naturalmente, se asustó mucho, pero al mismo tiempo se sorprendió de que Dios le hubiese salvado la vida. Porque si el carro hubiese volcado un segundo antes habría acabado él mismo como el carro. Sin pensar más, compró el pescado, se volvió al convento, se lo comió y después de habérselo comido, se fue a dormir.

Dormía ligeramente cuando se le apareció en sueños un desconocido *staretz*, que parecía una estatua, y le dijo: "Escucha, soy el protector de este convento y quiero que entiendas lo que hoy ha sucedido, para que recuerdes bien la lección. Mira, tu débil lucha contra el sentimiento de placer y tu pereza en el propio conocimiento y autocontrol han inducido al enemigo a acercarse a ti y a prepararte el incidente de hoy, en el que debías sucumbir. Pero tu ángel custodio, previendo esto, te ha sugerido rezar una oración y te ha recordado el rosario. Y por haber escuchado su inspiración y haber obedecido poniéndola en práctica, te ha salvado de la muerte. ¿Ves con qué generosidad paga el amor de Dios incluso el más pequeño movimiento hacia él?"

Dichas estas palabras, el *staretz* dejó aprisa la celda, y el monje, que se había arrodillado ante él, se despertó y se encontró no en la cama, sino de rodillas en el umbral de la puerta. Él mismo me contó, a mí y a otros muchos, esta visión para nuestro provecho espiritual.

¡Realmente es ilimitado el amor de Dios con los pecadores! ¿No es extraordinario que un gesto tan pequeño como es haber sacado del bolso el rosario para tenerlo en las manos, y haber invocado una vez el Nombre de Dios, haya merecido la vida de un hombre, y que en la balanza del juicio un breve instante dedicado a invocar a Jesucristo pese más muchas horas pasadas en la pereza? Realmente esta migaja ha sido pagada en oro. ¿Ves, hermano, el poder de la oración y de lo que es posible la invocación del Nombre de Dios? San Juan de Kárpatos dice en la *Filocalía* que cuando en la oración invocamos el nombre de Jesús y decimos: "Ten misericordia de mí, pecador", la voz del Señor responde en secreto: "Hijo, tus pecados te son perdonados". San Juan dice más aún; dice que cuando oramos nada nos distingue de los santos, de los confesores y de los mártires, porque, como enseña también San Juan Crisóstomo, "aunque estemos llenos de pecado, cuando oramos, la oración nos lava rápidamente". La ternura de Dios es grande; y, no obstante, nosotros, pecadores, indiferentes cambiamos el tiempo de la oración, que es lo más importante, por las preocupaciones mundanas, olvidándonos de Dios y de nuestro deber. Esta es la razón por la que nos suceden con frecuencia desgracias y calamidades. ¡Y, como si aún fuera poco, Dios, en su infinita bondad, se sirve incluso de éstas para instruirnos y dirigir nuestros corazones a él!"

Cuando el mercader hubo terminado de hablar al oficial, le dije:

"¡Qué consuelo has dado también a mi alma pecadora! De buena gana me postraría a tus pies.

Oyendo esto, se volvió a mí diciendo:

"Por lo que veo, te gustan los relatos religiosos. Espera un momento y te leeré otro parecido. Tengo un precioso libro con el que viajo. Se titula *Apapía* o *La salvación de los pecadores*. Contiene relatos maravillosos".

Sacó el libro del bolso y comenzó a leer un maravilloso relato sobre un tal Agatonik, un hombre devoto a quien sus padres habían acostumbrado desde la infancia a recitar diariamente ante el icono de la Virgen la oración: "Alégrate, Virgen Madre de Dios". Al crecer y verse absorbido por las preocupaciones y negocios de la vida, fue dejando la oración hasta que la abandonó totalmente.

En cierta ocasión hospedó una noche a un peregrino, un ermitaño de la Tebaida, quien le dijo haber tenido un sueño. Debía presentarse a Agatonik para reprenderlo por haber dejado de rezar la oración a la Madre de Dios. Agatonik se justificó diciendo que había rezado mucho tiempo sin haber obtenido beneficio alguno. El ermitaño le contestó: "¿No recuerdas, ciego y desagradecido, las muchas veces en que esta oración te ha ayudado y protegido? ¿No recuerdas cuando, siendo niño, estuviste a punto de ahogarte y fuiste milagrosamente salvado? ¿No recuerdas cuando saliste inmune de la epidemia que llevó la a tumba a tantos amigos tuyos? ¿No recuerdas cuando te caíste del carro con un amigo? Él se rompió una pierna; tú, en cambio, no te hiciste nada. ¿No sabes que un joven –tú lo conoces– que era sano y fuerte, yace débil y enfermo, mientras tú gozas de buena salud y no sufres?" Estas y otras muchas cosas le recordó el ermitaño a Agatonik. Y finalmente le dijo: "Sabes que te has visto libre de todas estas desgracias debido a la protección de la santísima Madre de Dios, gracias a aquella breve oración con que diariamente elevabas tu espíritu para unirlo a Dios. Vuelve, pues, a rezar y no ceses de glorificar a la Reina del Cielo, a fin de que no te abandone".

Terminada esta lectura, nos llamaron a comer. Después, y una vez que agradecimos a nuestro hospedero sus atenciones, reemprendimos el camino y cada uno se fue por su lado.

Caminé durante cinco días reconfortado con el recuerdo de los relatos del piadoso mercader de Belaja Tserkov. Estaba ya cerca de Kiev cuando, de golpe, quién sabe cómo, sentí aburrimiento y enervación, y mis pensamientos se hicieron sombríos. La oración me venía fatigosamente y se apoderó de mí una especie de indolencia. Así, descubriendo un bosquecillo al lado de la carretera, me introduje en él para descansar y leer en paz mi *Filocalía* a la sombra de una zarza, reforzando así mi débil espíritu. Encontré un lugar silencioso y comencé a leer a Casiano el Romano, en la cuarta parte de la *Filocalía*, sobre los "Ocho pensamientos". Después de media hora de alegre lectura, vi inesperadamente, a casi cincuenta pasos de mí, en lo más frondoso del bosque, a un hombre inmóvil y arrodillado. Me sentí feliz al verle, porque pensé que estaba rezando, y continué leyendo. Después de una hora, y quizá más, levanté de nuevo la mirada: el hombre continuaba en la misma postura. Esto me conmovió, y pensé: "¡Qué siervos tan devotos tiene Dios!"

Mientras pensaba esto, el hombre cayó al suelo y se quedó inmóvil. Cuando estaba de rodillas lo tenía de espaldas, de forma que no había podido verle la cara. Me entró curiosidad, me acerqué y lo encontré dormido. Era un campesino, joven, de unos veinticinco años, rostro delicado y pálido. Vestía un caftán rústico, atado con una cuerda de corteza de tilo. No llevaba nada consigo, ni alforja, ni bastón. El ruido de mis pasos lo despertó y levantándose, se sentó. Le pregunté quién era:

–Al campesino de la provincia de Smolensk –dijo–, que vengo de Kiev.

–Y ¿hacia dónde vas ahora? –le pregunté.

–No lo sé –me respondió–. Iré a donde Dios me conduzca.

–¿Hace mucho que faltas de casa?

–Sí, más de cuatro años.

–¿Y dónde has vivido durante todo este tiempo?

–He visitado santuarios, monasterios e iglesias. No veía sentido al permanecer en casa. Soy huérfano y no tengo parientes. Además, estoy cojo. ¡Y así voy vagando por el ancho mundo!

–Alguna buena persona debe haberte enseñado a andar, más que por el mundo, por lugares santos, –dije.

–Verás –me respondió–. Siendo huérfano comencé desde niño a andar con los pastores de mi pueblo y hasta que tuve diez años todo me fue bien. Después, un día, cuando llevaba el rebaño a casa, no me di cuenta que faltaba la mejor oveja del *starosta*[3]. Nuestro *starosta* era un campesino malo e inhumano. Cuando volvió a casa por la tarde y vio que le faltaba la oveja, se dirigió a mí con insultos y amenazas. Me dijo que si no me apresuraba a buscar la oveja, "me apalearía hasta morir y me destrozaría brazos y piernas". Conociendo su crueldad, corrí, a buscar la oveja al lugar donde había estado pastoreando el rebaño. Busca que te busca, había pasado la media noche y no aparecía huella alguna del animal. La noche era muy oscura; se acercaba el otoño. Llegando a los más denso del bosque –y los bosques en esta provincia no parecen acabarse nunca– sobrevino una tormenta. Los árboles comenzaron a balancearse. A lo lejos se escuchaba el aullido de los lobos. Me

3. Jefe del *Mir*, típica comunidad campesina en Rusia, que poseía en común la tierra aledaña al pueblo que configuraba la comunidad.

sobrecogió tal terror que se me erizó el pelo; cuanto más caminaba tanto más aumentaba mi angustia y me sentía desfallecer de miedo. Caí de rodillas, hice la señal de la cruz y grité con todas mis fuerzas: "¡Señor Jesucristo, ten misericordia de mí!" En seguida me sentí sereno, como si nunca hubiera estado angustiado. Todo mi miedo desapareció y me sentí inválido por una gran alegría como si estuviese en el cielo. Era feliz y no cesaba de repetir la oración. Todavía hoy ignoro si la tempestad duró largo rato, ni cómo pasé la noche. Vi las primeras luces del alba y todavía estaba arrodillado. Me levanté tranquilo, me di cuenta de que era imposible encontrar la oveja y volví a casa. Tenía el corazón sereno y no cesaba de repetir la oración. Apenas llegué al pueblo, el *starosta*, viendo que volvía sin la oveja, la emprendió conmigo a patadas. Fue en aquella ocasión cuando quedé cojo.

No pude moverme durante seis semanas. Sólo sabía que repetía la oración y ello me confortaba. Fui mejorando y comencé a recorrer el mundo. Pero como no me gustaba encontrarme en medio de la gente, cosa que me habría llevado a cometer muchos pecados, comencé a peregrinar por santos lugares y por bosques. Así llevo ya casi cinco años".

Oídas estas palabras, me alegré de que el Señor me hubiese concedido encontrarme con una persona tan buena, y le pregunté:

– "¿Y rezas ahora con frecuencia la oración?"

– "No puedo estar sin ella", me respondió. "Cada vez que recuerdo lo experimentado aquella noche en el bosque, caigo de rodillas como si me empujasen, y comienzo a rezar. No sé si mi oración de pecador será acepta a Dios. Cuando rezo, a veces encuentro una gran alegría –no sé explicarme el motivo– y suavidad del espíritu. Otras veces experimento pesadez, aburrimiento y desconsuelo. A pesar de todo, siento un gran deseo de rezar".

– "No te desanimes, querido hermano. La oración siempre agrada a Dios y es útil para nuestra salvación, sean cuales fueren los sentimientos que tengas durante la misma. Lo dicen los santos padres. Ninguna oración, parezca rica o pobre, se perderá ante Dios. El consuelo, fervor y dulzura manifiestan que Dios te premia y consuela por el esfuerzo realizado; la pesadez, tristeza, aridez, significa que está purificando y fortaleciendo tu alma, salvándola con esta prueba saludable, disponiéndola a saborear con humildad la futura felicidad. Para demostrártelo, te leo algo que escribió san Juan Clímaco.

Encontré el pasaje y se lo leí. Lo escuchó con atención y me dio las gracias. Después nos separamos. Mientras él se adentraba en el bosque, yo volví al camino y reemprendí la marcha agradeciéndole a Dios que me hubiese enseñado tal lección.

Al día siguiente, con la ayuda de Dios, llegué a Kiev. Mi primer y más urgente deseo era rezar mis devociones, confesarme y comulgar en aquella santa ciudad. Me detuve junto a *los santos*[4] para estar más cerca de la iglesia.

Me hospedó un viejo cosaco, muy bueno. Vivía solo en su cabaña, y en él encontré paz y silencio. Al finalizar la semana, durante la cual me había preparado para mi confesión, me vino la idea de hacerla lo más detallada posible. Comencé, pues, a rememorar toda mi vida, volviendo sobre mis pecados de juventud hacia adelante. Y para no olvidarlos, escribí todo lo que logré recordar hasta el último detalle. Llené un extenso folio.

Me enteré de que a unos siete kilómetros de Kiev, en la pustinia de Kitaev[5], vivía un sacerdote de significada vida ascética, muy sabio e iluminado. Todo el que se acercaba a él para confesarse encon-

---

4. Se refiere a la famosa Laura *Pecerskaja*, en Kiev. Construida en el siglo XI, contiene en sus catacumbas los cuerpos incorruptos de muchos *santos* rusos (de ahí el nombre popular de *los santos*).
5. *Pustinia* significa literalmente *desierto*. Pero hace referencia también al género de vida que llevan algunas personas (el *Pustinik*). En el Occidente de nuestros días se han hecho famosas las Pustinias gracias a la obra de Catherine de Hueck Doherty (rusa, que ha querido trasplantar ese género de vida a Occidente, aunque un poco modificado conforme a las necesidades y posibilidades de nuestro mundo (cf. su libro: *Pustinia. Espiritualidad rusa para el hombre occidental*, Madrid, Narcea, 1979).

traba una atmósfera de ternura y compasión y se volvía enriquecido con saludables enseñanzas y tranquilidad de espíritu. Me alegré con la noticia y me apresuré a ir allá. Después de haber hablado y pedido consejo a este sabio, le entregué mi folio para que lo examinase. Lo leyó todo y me dijo:

"Querido hermano, mucho de lo que has escrito es totalmente fútil. Escucha, lo primero que debes hacer es no confesar los pecados de los que ya te has arrepentido y te han sido perdonados, a no ser que hayas vuelto a cometerlos. Lo contrario significaría que no tienes fe en el poder del sacramento de la penitencia. Segundo, no debes acusar a tus cómplices, sino sólo a ti mismo. En tercer lugar, los santos Padres prohiben detenerse en las circunstancias de los propios pecados. Hay que confesarlos en general, para evitar que renazca la tentación en ti o en el confesor. En cuarto lugar, tú has venido para arrepentirte, pero no te arrepientes, porque no sabes hacerlo. Tu arrepentimiento es tibio y negligente. En quinto lugar, has escrito todos los detalles, pero has descuidado lo esencial: no has declarado los pecados más graves. No has tomado conciencia, ni has anotado, *que no amas a Dios, que detestas a tu prójimo, que no crees en la palabra de Dios y que estás lleno de orgullo y ambición.* Estos cuatro pecados están en la base de todo mal y de nuestra depravación espiritual. Son éstas las principales raíces que alimentan los retoños de todas nuestras caídas.

Estaba maravillado oyendo estas palabras y dije:

"Perdonad, reverendísimo padre, pero ¿cómo es posible no amar a Dios, nuestro Creador y conservador? ¿En qué podría creer si no es en la palabra de Dios, en la que todo es verdad y santidad? Y si deseo el bien de mi prójimo, ¿cómo podría detestarlo? Por otra parte, no tengo motivo alguno para enorgullecerme: no tengo nada digno de ser alabado, sólo tengo mis innumerables pecados. Por último, mezquino y pobre como soy, la ambición es algo que no me cuadra. No es como si fuese instruido y rico; entonces seguramente sería culpable de todo lo que habéis dicho".

"Es una pena, querido amigo, que hayas entendido tan poco de lo que te he dicho. Mira, lo entenderás antes si te doy estos apuntes de los que yo me sirvo para mi propia confesión. Léelos y verás claramente confirmado todo lo que te he dicho".

El padre me dio un breve escrito y comencé a leerlo.

La confesión que guía al hombre interior a la humildad

"Dirigiendo la mirada sobre mí mismo y observando el curso de mi vida interior, he constatado por experiencia que no amo a Dios, que no amo al prójimo, que no tengo fe religiosa y que estoy lleno de orgullo y sensualidad. Encuentro actualmente todo esto en mí después de un cuidadoso examen de mis sentimientos y acciones.

1. *No amo a Dios.* Si le amase, pensaría constantemente en él con un corazón alegre. Todo pensamiento sobre Dios me produciría un gozo inmenso. Y no es esto lo que me sucede, sino lo contrario: con mucha más frecuencia y avidez pienso en las cosas de la vida, y el pensamiento de Dios constituye para mí un árido esfuerzo. Si le amase, la conversación con él en la oración sería para mí alimento y deleite y me induciría a una constante comunión con él. En cambio, no sólo no gozo con la oración, sino que incluso en el momento en que la recito, tengo que esforzarme, lucho de mala gana, me debilito con la pereza y estoy dispuesto a ocuparme con cualquier tontería con tal de abreviar o suspender la oración. Cuando estoy ocupado en cosas sin importancia, siento que el tiempo vuela; en cambio, cuando estoy con Dios, la hora me parece un año. Quien ama a otra persona piensa en ella constantemente, todo el día, tiene siempre ante sí su imagen, se preocupa de ella, y en cualquier circunstancia el ser amado tendrá la primacía. En cambio, yo durante el día escasamente encuentro una hora en la que pueda extasiarme en la meditación de Dios e inflamarme en su amor, y paso las otras veintitrés inmolando sacrificios a los ídolos

de mis pasiones. Soy diligente en conversaciones frívolas, que degradan el espíritu; y encuentro placer en ello. En cambio, cuando se trata de pensar en Dios me encuentro árido, aburrido y perezoso. Si por casualidad alguien me induce a una conversación espiritual, hago lo posible por acabarla cuanto antes y pasar a un tema que satisfaga mis pasiones. Tengo una inagotable curiosidad de cosas nuevas, de asuntos públicos y sucesos políticos; busco ávidamente satisfacer mi amor a la cultura, ciencia o arte, y poseer cosas nuevas. En cambio, me deja indiferente el estudio de la ley de Dios, el conocimiento de Dios y de la religión. Esto no sólo no lo considero ocupación esencial para un cristiano, sino que incluso lo veo como elementos marginales, en los que debo ocuparme, a lo sumo, en los ratos de tiempo libre. En pocas palabras: si el amor de Dios se manifiesta en la observancia de sus mandamientos ("si me amáis, guardad mis mandamientos", dice el Señor Jesucristo, Jn 14,15), y yo no sólo no los guardo, sino que me esfuerzo muy poco por guardarlos, deberé concluir que no amo a Dios. Lo confirma San Basilio el Grande cuando dice: "La prueba de que uno no ama ni a Dios ni a su Cristo está en que no guarda sus mandamientos".

2. *No amo al prójimo*. Efectivamente, no sólo no estoy resuelto a dar mi vida por mi prójimo (según el Evangelio), sino que ni siquiera sacrifico mi felici-

dad, mi bienestar y mi paz por el bien de mi prójimo. Si le amase como a mí mismo, según enseña el Evangelio, sentiría sus desgracias y me alegraría con sus alegrías. En cambio, siento curiosidad cuando me cuentan la infelicidad del prójimo, pero no me aflijo; es más, me quedo imperturbable, o, peor aún, encuentro una especie de placer. En lugar de disimular con amor las malas acciones de mi hermano, las corro y las juzgo. Su bienestar, honor, felicidad, deberían alegrarme como si fuesen míos. Sinembargo, no suscitan en mí sentimiento alguno de alegría, como si no me tocasen para nada. Si acaso, suscitan en mí un sentido sutil de envidia o desprecio.

3. *No tengo fe religiosa*. Ni en la inmortalidad ni en el Evangelio. Si estuviese firmemente convencido y creyese sin duda posible que después de la muerte me espera la vida eterna y la recompensa por las acciones terrenas, no cesaría de pensarlo ni un momento. El solo pensamiento de la inmortalidad me infundiría terror y viviría aquí como peregrino que se dirige a su patria. Desgraciadamente me sucede lo contrario; no pienso en la eternidad y considero el fin de esta vida terrena como el límite último de mi existencia. En mí se oculta un secreto pensamiento: ¿qué hay después de la muerte? Aunque diga que creo en la inmortalidad, lo digo sólo con la cabeza; el corazón está muy lejos de una firme convicción, como abiertamente testimonian mis acciones y mi ansia

constante de satisfacer la vida de los sentidos. Si acogiese el Evangelio en mi corazón con la fe que exige la palabra de Dios, me dedicaría incesantemente a su lectura, la estudiaría y haría mis delicias fijando en ella mi devota atención. La sabiduría, piedad y amor que encierra me conquistaría y me daría la alegría de estudiar día y noche la ley del Señor. Me alimentaría con ella como del pan del cada día y mi corazón sería atraído a observar sus preceptos. No habría fuerza humana que me distrajese de esta tarea. Y, sin embargo, sucede lo contrario: si escucho y leo de vez en cuando la palabra de Dios, lo hago por necesidad o curiosidad intelectual, y dado que no me acerco a ella con profunda atención, la encuentro árida y poco interesante. Normalmente llego al final sin haber sacado fruto alguno. Estoy siempre dispuesto a pasar a lecturas seculares en las que encuentro mayor placer y siempre nuevos incentivos.

4. *Estoy lleno de orgullo y de sensualidad*. Lo confirman todas mis acciones. Si descubro algo bueno en mí, deseo ponerlo en evidencia o vanagloriarme ante los demás, o complacerme íntimamente, en mi interior. Aunque externamente me presente como humilde, sin embargo atribuyo todo el mérito a mis fuerzas y me considero superior a los otros, o por lo menos no inferior. Si noto en mí una falta, trato de justificarla diciendo: "estoy hecho así o no es culpa mía". Me molesto con quienes no me

estiman, considerándoles incapaces de estimar a los demás. Me jacto de mis cualidades, considero mi fracaso como un insulto; gozo, por el contrario, con las desgracias de mis enemigos. Si hago algo bueno, mi meta es la alabanza, la satisfacción espiritual o la consolación terrena. En síntesis: hago de mí mismo un ídolo al que doy culto ininterrumpido, buscando en toda ocasión el placer de los sentidos y el alimento de las pasiones o de la lujuria.

Todos estos innumerables ejemplos demuestran hasta qué punto soy orgulloso, adúltero, incrédulo, y estoy desprovisto del amor de Dios y lleno de odio hacia mi prójimo. ¿Puede haber mayor pecador? No es tan mala, ni siquiera, la condición de los espíritus de las tinieblas: si bien es verdad que ellos no aman a Dios, detestan al hombre, viven y se alimentan de orgullo, por lo menos creen y tiemblan (St 2,19). Pero, ¿yo? ¿Puede haber destino peor que el que me espera? ¿Y quién merecerá una sentencia tan severa como yo por esta vida insensata y estúpida?"

Leída hasta el fin esta forma de confesión que me había dado el padre espiritual, me sentí horrorizado y pensé: "¡Dios mío, qué pecados tan terribles se esconden en mí sin que me haya dado cuenta de ello! Y así, el deseo de purificarme me empujó a preguntar a este padre espiritual cómo podría conocer las causas de todos estos males y su curación. Y él comenzó a instruirme:

"Mira, querido hermano, la causa de no amar a Dios es la falta de fe; la causa de la falta de fe viene motivada por la falta de convicción, y la falta de convicción nace de no procurar el verdadero conocimiento, de indiferencia hacia la iluminación del espíritu. En una palabra: sin creer no se puede amar; sin convencimiento no se puede creer; y para convencerse es preciso adquirir el pleno y exacto conocimiento de la materia que se tiene delante. A través de la meditación, a través del estudio de la palabra de Dios, y anotando las propias experiencias debo despertar en el alma un hambre y una sed –o, como dicen algunos, "admiración"– que proporcione un deseo insaciable de conocer las cosas más cumplidamente y más de cerca, de penetrar más a fondo e su esencia.

Dice a este propósito un autor espiritual: "Normalmente el amor se desarrolla con el conocimiento; cuanto mayor y más profundo es éste, tanto mayor será el amor, y tanto más fácilmente se ablandará el corazón, se abrirá al amor de Dios contemplando la plenitud y belleza de la naturaleza divina, y su ilimitado amor por los hombres".

Como ves, la causa de los pecados que has leído es la pereza en meditar las cosas del espíritu, pereza que a la larga sofoca tu deseo de estas reflexiones. Si quieres saber cómo vencer este mal, esfuérzate con todos los medios posibles por llegar a la iluminación del espíritu con el estudio diligente de la palabra de Dios y de los santos Padres, con la meditación y el consejo espiritual, o hablando con quienes son sabios en Cristo. ¡Oh! ¡Cuántas desgracias nos vienen, querido hermano, por nuestra pereza en la búsqueda de luz para nuestra alma en la palabra de verdad! No estudiamos como deberíamos, día y noche, la ley del Señor y no oramos con empeño y sin distracciones. Por eso, nuestro hombre interior es pobre, hambriento, frío, incapaz de tomar valientemente el camino de la rectitud y de la salvación. Por eso, querido hermano, determinémonos a usar estos métodos y a ocupar lo más frecuentemente posible nuestra mente con pensamientos celestiales. El amor, derramándose desde lo alto en nuestros corazones, rebosará dentro de nosotros. Lo haremos los dos, y rezaremos con la mayor frecuencia que podamos, porque la oración es el medio fundamental y más poderoso para renovarnos y alcanzar la salvación. Rezaremos con las palabras que nos enseña la santa Iglesia: "Señor, haz que te ame ahora como supe en otro tiempo amar el pecado".

Escuché con atención sus palabras y le pedí conmovido, a aquel santo varón, que me confesase y me diese la comunión. Así, a la mañana siguiente, una vez recibido el gran don de la Eucaristía, quise retornar a Kiev; pero el buen padre, que tenía la intención de retirarse un par de días a la

Laura[6], me invitó a quedarme en su celda, para que pudiese dedicarme, sin impedimento alguno, a la oración en aquel silencio.

La verdad es que pasé aquellos días como si hubiese estado en el cielo. Gracias a las oraciones de mi *Staretz*, gocé, aunque indigno, la perfecta paz. La oración brotaba tan fácil y deliciosamente de mi corazón, que me parecía haberme olvidado de todas las cosas y de mí mismo en todo aquel tiempo. En mi mente estaba Jesucristo y solamente él.

Cuando el padre volvió, le pedí que me indicase el camino a seguir en mi viaje de peregrino. Me dio su bendición con estas palabras: "Ve a Pocaev, arrodíllate ante la 'huella milagrosa'[7] de la purísima Madre de Dios, y la Virgen guiará tus pasos por los caminos de la paz". Acogí con fe su consejo y tres días después partí para Pocaev.

Caminé, no sin aburrirme, casi doscientos kilómetros, porque el camino discurría entre tabernas y

6. Una *Laura* puede describirse como una serie de celdas o cavernas diseminadas en un paraje agreste, habitadas por solitarios, que se reúnen en común *para algunos actos*, bajo la disciplina de un superior.

7. Según una leyenda del siglo XIII, la Virgen se apareció, rodeada de santos, a unos pastores. La roca sobre la que puso los pies dio origen a una fuente milagrosa. Al construir el monasterio en aquel lugar preservaron la roca en que puso los pies la Virgen, convirtiéndolo en cripta del monasterio.

pueblos judíos, y raramente encontraba alojamiento cristiano. En una granja vi con alegría una posada rusa cristiana. Me acerqué para pasar la noche y pedir pan para el viaje, porque ya apenas me quedaba pan seco. Vi al dueño, un viejo evidentemente acomodado, y supe que era, igual que yo, de la provincia de Orlov. Apenas entré en la habitación, su primera pregunta fue:

–¿Cuál es tu religión?

Respondí que era cristiano y *pravoslavny*[8].

–¡Auténtico *pravoslavny*! –dijo con una sonrisa burlona–. Vuestro pueblo es *pravoslavny* sólo de palabra; vuestras acciones están llenas de superstición. ¡Conozco bien vuestra religión, hermano! También yo me he sentido seducido y, tentado por un docto sacerdote, entré en vuestra Iglesia; pero después de seis meses volví sobre mis pasos. Entrar en vuestra Iglesia es una farsa: los lectores rezan el oficio saltando las palabras y rezongando de forma incomprensible; el canto no es mejor que en las tabernas de los pueblos; la gente se pone de pie cuando le parece, hombres y mujeres juntos, y durante las funciones sagradas hablan, miran a todas partes, pasean adelante y atrás; no hay forma de rezar en paz. ¿Y esto es el culto? ¡Esto sólo es pecado! Entre nosotros, en

8. Nombre que dan los rusos a los ortodoxos. Puede traducirse simplemente por ortodoxo.

cambio, ¡qué devoción durante el sacrificio de la Misa! Se retiene cualquier palabra, nada se descuida, el canto es conmovedor, la gente está en silencio, los hombres a una parte y las mujeres a otra, y todos saben cuándo tienen que inclinarse según las normas de la santa Iglesia. En una palabra: cuando llegas a un templo de los nuestros, sientes que ése es realmente el culto debido a Dios. ¡En los vuestros no logras saber dónde estás, si en la iglesia o en el mercado!

De sus palabras deduje que aquel hombre era un encarnizado *raskolnik*[9]; pero decía cosas tan justas, que no podía ni contradecirle ni convertirle. Sólo pensé en esto: será imposible convertir a los viejos creyentes a la verdadera Iglesia hasta que no hayamos purificado nuestras funciones religiosas y el clero en particular no sea ejemplar. El *raskolnik* no conoce nada de la vida interior, se apoya en ceremonias, a las que nosotros no concedemos importancia.

Hice ademán de irme, estaba ya en el atrio, cuando vi con sorpresa, a través de la puerta abierta de una pequeña habitación, a un hombre, que no parecía ruso. Estaba echado sobre la cama y leía un libro. Me hizo señas para que me acercase y me preguntó quien era. Le respondí, y entonces comenzó diciendo:

---

9. Cismático. En un sentido riguroso hace referencia a quienes no quisieron aceptar las reformas introducidas por el Patriarca Nicón a mediados del siglo XVII.

– "Escucha, amigo, ¿no aceptarías asistir a un enfermo, digamos que una semana, hasta que, con la ayuda de Dios, me restablezca? Soy griego, monje del Monte Athos; he venido a Rusia para recoger fondos para mi monasterio, y precisamente ahora, cuando estaba para volverme a mi tierra, he caído enfermo y no logro caminar por el dolor de piernas que tengo. He tenido que alquilar esta habitación. ¡No te niegues, siervo de Dios! Te pagaré".

– "No necesito recompensa alguna. Os serviré con alegría, haré lo que pueda en el Nombre de Dios".

Y así me quedé con él. Me dijo muchas cosas sobre la salvación del alma. Me habló del Monte Athos, de la Santa Montaña, de sus grandes *podvizhniki*[10] y de sus muchos ermitaños y anacoretas. Llevaba consigo una *Filocalía* en griego y un libro de san Isaac el Sirio. Nos pusimos juntos a leer y a confrontar la traducción eslava de Paisij Velitchovski con el original griego. El monje confesó que sería imposible encontrar una traducción del griego más fiel y exacta que la *Filocalía* eslava de Paisij.

Como noté que oraba sin interrupción y era versado en la oración del corazón, le pregunté sobre esta cuestión –hablaba, además, muy bien el ruso–. Me habló de ello complacido y yo le escuché con

10. En el campo espiritual se aplicaba este nombre a los monjes que sobresalían por su vida ascética y su dedicación intensa a la oración.

atención. Transcribí incluso muchas de sus palabras. Me habló, por ejemplo, de la superioridad y excelencia de la oración a Jesús: "La grandeza de la oración a Jesús se revela en su misma estructura, que se compone de dos partes; la primera, o sea: "Señor, Jesucristo, Hijo de Dios", dirige en seguida nuestro pensamiento a la vida de Jesucristo, o, como dicen los santos Padres, "contiene en síntesis todo el Evangelio". La segunda parte, o sea: "Ten piedad de mí, pecador", nos pone delante la historia de nuestra impotencia y de nuestros pecados. No hay duda de que el deseo y la petición de un alma pobre, humilde y pecadora no podría ser expresado con palabras más sabias, más esenciales y más exactas que éstas: "¡Ten piedad de mí!" Ninguna otra expresión sería tan completa. Por ejemplo: si decimos "perdóname", "perdona mis pecados", "perdona mi desobediencia", "cancela mis culpas", sonaría como una invocación a Dios para ser liberados del castigo, manifestaría el miedo de un alma, temerosa y negligente. Pero decir: "Ten piedad de mí", significa no sólo el deseo, provocado por el miedo, de obtener perdón, sino que es también un grito de amor filial, que espera en la misericordia de Dios y reconoce humildemente la propia importancia. Es una invocación de misericordia –es decir, de gracia–, que obtendrá de Dios el don de la fortaleza. Con ella el hombre resistirá las tentaciones y superará la propia inclinación al pecado. Es como si un pobre deudor pidiese humildemente a su acreedor no sólo el perdón de la deuda, sino también le pidiese que, apiadado de su extrema pobreza, le diese una limosna. Esto es lo que expresan las profundas palabras: "Ten piedad de mí". Es como decir: "Bondadoso Señor, perdona mis pecados y ayúdame e a mejorar; infunde en mi alma un vigoroso impulso a seguir tus órdenes; concédeme tu gracia perdonando mis pecados actuales y cambiando mi mente distraída, mi voluntad y mi corazón hacia ti solo".

Maravillado de estas palabras, le di las gracias por el consuelo aportado a mi alma de pecador y él continuó enseñándome otras cosas maravillosas:

– "Si quieres, dijo, puedo hablarte aún de la *entonación* que debe acompañar la oración a Jesús".

Debía ser una persona docta, porque había estudiado en la Academia de Atenas.

– "Bien, he escuchado a muchos cristianos, temerosos de Dios, rezar con los labios la oración a Jesús según la palabra de Dios y la tradición de la santa Iglesia. Lo hacen no sólo en su casa, sino también en la Iglesia. Escuchando con atención la tranquila recitación de la oración se puede observar con gran provecho espiritual que el tono de la oración varía de persona a persona. Así, algunos subrayan la primera palabra: "Señor", y pronuncian las otras en un tono más igualado y uniforme. Otros, en cambio, comienzan la oración en tono uniforme y acentúan la palabra central: "Jesús", en una especie de exclamación, terminando con el mismo tono con que se había comenzado. Otros, por su parte, comienzan y prosiguen la oración quedamente hasta las últimas palabras: "Ten piedad de mí", palabras que declaman como si estuvieran en éxtasis. Algunos, finalmente, pronuncian la oración entera: "Señor Jesucristo, Hijo de Dios, ten piedad de mí, pecador", acentuando las tres palabras: *Hijo de Dios*.

Ahora escucha: la oración es siempre la misma. Los cristianos ortodoxos profesan una sola fe. Todos saben que esta oración, la más alta y sublime, encierra dos cosas: el Señor Jesús y la súplica a él dirigida; esto es igual para todos. ¿Por qué, entonces, no la rezan todos de la misma forma, con la misma entonación? ¿Por qué el alma suplica y se expresa de una manera particular no acentuando todos los mismos puntos? Muchos dicen que esto depende quizá de la costumbre o de la imitación, de la interpretación de las palabras según los diversos puntos de vista, o de la espontaneidad de cada uno. Pero yo opino de una manera completamente distinta. Creo que la causa debe ser buscada en algo más elevado y desconocido no sólo a quien escucha, sino también a quien reza. ¿No podría ser una secreta moción del Espíritu Santo que "intercede por nosotros con gemidos inefables" (Rm 8,26), en aquellos que no saben cómo y por qué orar? Y si todos oran en el nombre de Jesucristo por medio del Espíritu Santo, como dice el Apóstol, el Espíritu Santo que obra en lo secreto y "da una oración al que ora", puede también conceder a todos, a pesar de su falta de fuerza, su benéfico don. A uno le puede dar reverente temor de Dios, a otro amor, a otro firmeza en la fe, a otro humildad, etc.

Si es así, el que ha recibido el don de reverenciar y honrar la grandeza del Omnipotente, pronunciará en su oración con mayor fuerza la palabra "Señor", en la que siente el infinito poder del Creador del mundo. Aquel a quien fue dado el secreto manar del amor en el corazón, todo le será arrebatador y dulce al exclamar: "Jesucristo". Así, un *Staretz* no podría oír el Nombre de Jesús sin sentir una oleada de amor y de gozo, incluso en una simple conversación. El que tiene fe a toda prueba en la divinidad de Jesucristo, consustancial al Padre, se inflama y fortalece aún más en la fe pronunciando las palabras: "Hijo de Dios". El que ha recibido el don de la humildad y es profundamente consciente de la propia debilidad, expresa su penitencia y humildad con las palabras: "Ten piedad de mí", y se encuentra sobre todo en estas últimas palabras de la oración. Espera en la ternura de Dios y aborrece las propias caídas. Esta es la explicación, según mi criterio, de las diversas entonaciones con que es recitada la oración del Nombre de Jesús. Por eso, escuchando la oración, para gloria de Dios y edificación tuya, puedes comprender qué sentimiento mueve a cada uno, qué don espiritual ha recibido. A este respecto me han dicho muchos: "¿Por qué no se manifiestan juntos todos estos signos de los secretos dones espirituales? En este caso, no una palabra, sino todas manifestarían esa especie de éxtasis..." Mi respuesta era: "Porque la gracia de Dios distribuye sus dones sabia y diversamente a cada uno según su voluntad. Así lo enseña la Escritura (1Co 12). ¿Quién puede, con su inteligencia limitada, penetrar en las disposiciones de la gracia? ¿No está quizá la arcilla en manos del alfarero, y no tiene éste libertad para hacer de aquélla el objeto que le plazca (Rm 9,20-21)?"

Pasé cinco días con este *Staretz*, que iba mejorando poco a poco. Me era tan provechoso este tiempo que no me daba ni cuenta de lo aprisa que pasaban los días. En aquella pequeña habitación, como en un silencioso retiro, nos ocupábamos sólo de orar en secreto en el Nombre de Jesucristo, o de conversar sobre un único argumento: la oración interior.

En cierta ocasión se nos acercó un peregrino. Comenzó a quejarse amargamente de los hebreos y a injuriarlos, porque en algunos de sus pueblos por los que había pasado había encontrado enemistad y engaños. Estaba tan enfurecido contra ellos que los maldecía y consideraba incluso indignos de vivir por su obstinación e infidelidad. Nos dijo, finalmente, que su aversión hacia ellos era incontrolable.

El *Staretz* le escuchó, y después le dijo:

– "No tienes razón, amigo, al injuriar y maldecir a los hebreos. Tanto ellos como nosotros somos creaturas de Dios, y es preciso tener piedad de ellos y por ellos orar, pero no maldecirlos. Créeme, tu desprecio hacia ellos deriva de que no estás asentado en el verdadero amor de Dios, no tienes la seguridad que deriva de la oración interior, no tienes la paz interior. Te leeré algo de los santos Padres a este respecto. Escucha lo que dice Marcos el Asceta: "El alma unida íntimamente a Dios, por el inmenso gozo que le embarga, es como un niño bueno y de corazón sencillo; no condena a nadie: ni al griego, ni al pagano, ni al hebreo, ni al pecador. Mira a todos sin distinción con una mirada limpia, y desea que todos: griegos, paganos y hebreos glorifiquen a Dios". Y Macario el Grande, de Egipto, dice que "el contemplativo se inflama con un amor tal que, si fuese posible, acogería en sí a todo hombre, sin distinguir al malo del bueno". Esta es, querido hermano, la opinión de los santos Padres. Por eso, te aconsejo deponer la cólera y mirarlo todo a la luz de la Providencia de Dios; y cuando recibas alguna injuria acúsate sobre todo a ti mismo, especialmente por tu escasa paciencia y humildad".

Había ya pasado más de una semana. El *Staretz* se encontraba ya bien; le agradecí, de corazón, todas sus preciosas enseñanzas y nos separamos. Él volvió a su país y yo continué el camino que me había propuesto.

Estaba ya cerca de Pocaev. No había recorrido aún cien kilómetros cuando me alcanzó un soldado. Le pregunté a dónde iba. Me respondió que volvía a su casa, en la provincia de Kamenets-Podolsk. Caminando en silencio junto a él unos diez kilómetros, me di cuenta de que suspiraba con ansiedad, como si algo le oprimiese.

–¿Por qué estás triste? –le pregunté.

–Buen amigo –dijo–. Si has notado mi dolor y me juras por Dios que no lo dirás a nadie, te contaré mi historia: me aguarda la muerte y no tengo a quién confiarme.

Le aseguré, como cristiano, que no tenía motivo alguno para hablar de ello a nadie, y que por amor fraterno me alegraría poder aconsejarle lo mejor que supiese.

–Bien; verás –dijo–. Después de haber estado en el ejército cinco años, la vida militar comenzó a parecerme insoportable. Con frecuencia me castigaban por negligencia y borracheras. Por eso, decidí huir. Hace ya quince años que he desertado. Durante seis años logré pasar desapercibido: robaba en las tabernas, en los almacenes y en los graneros. Robaba caballos y me arreglaba como podía. Vendía lo robado y lo que sacaba me lo gastaba en bebida. Llevaba una vida depravada, cayendo en toda clase de pecados. Todo me iba bien hasta que terminé en la cárcel, por vagabundo e indocumentado. Me escapé de allí en cuanto se me presentó la primera ocasión. Después, por casualidad, encontré a un soldado que había sido exonerado del servicio. Vivía en una provincia muy apartada, y, como apenas podía caminar, me pidió que le acompañase hasta la provincia más cercana, donde se alojaría. Le acompañé. Nos permitieron pernoctar en un henil y allí nos acostamos. Cuando me desperté, pude comprobar que mi compañero estaba muerto. Le rebusqué en seguida para quedarme con su pasaporte. Le encontré también dinero, y se lo quité. Me precipité hacia afuera mientras los demás aún dormían, y me escapé al bosque. En el pasaporte del muerto vi que la edad y otros muchos datos de identificación coincidían con los míos. Me alegré y me dirigí a la provincia de Astrakhan, allí comencé a sentar la cabeza y a trabajar. Caí con un señor, propietario de una casa y comerciante en animales, que vivía solo con una hija viuda.

Viví en la casa un año y me casé con la hija. Después murió el viejo. Pero no estábamos en condiciones de continuar con el negocio. Comencé de nuevo a beber, y mi mujer también. Así en un año disipamos todo lo que el viejo nos había dejado. Además, mi mujer enfermó y murió. Vendí la casa y lo poco que me quedaba, y en poco tiempo me quedé sin nada.

No tenía de qué vivir. Volví a la actividad anterior; traficar con cosas robadas. Ahora era más audaz, porque tenía documentación. Fue otro año de vida disipada. Continuó un período de desdichas: robé a un pobre hombre su viejo y delgado caballo, vendiéndolo por medio rublo a unos usureros. Cogí el dinero, me fui a una taberna y comencé a beber. Mi idea era ir a un pueblo donde se iba a celebrar una boda. Después del banquete todos dormirían, y yo aprovecharía para robar lo que hubiera caído en mis manos. Como aún no se había puesto el sol, me fui al bosque esperando la noche. Me acosté y, profundamente dormido, soñé que me encontraba en un prado inmenso y bello. En un momento, comenzó a levantarse en el cielo una terrible nube y tronó tan fuerte que la tierra se abrió debajo de mí y me tragó como si alguno me hubiese empujado. La tierra me cubría y sólo me quedaban afuera la cabeza y las manos. Después, la inmensa nube pareció bajar sobre la tierra, al tiempo que subía de ella mi viejo abuelo, muerto veinte años atrás: un hombre recto, que durante treinta años había sido guardián de la Iglesia del pueblo. Con aire de rabia y amenaza se me acercó y temblé de miedo. Mirando a mi alrededor vi algunos montones de cosas que yo había robado en distintas ocasiones. Cada vez me sentía con más miedo. El abuelo, acercándose y señalando el primer montón, dijo con un tono terrible: "¿Qué es eso? ¡Pronto!"

Inmediatamente comenzó a apretarme la tierra tan fuertemente que, no logrando soportar el dolor y la angustia, grité: "¡Ten piedad de mí!" Pero el tormento no cesaba. Después el abuelo, señalando otro montón, dijo en el mismo tono: "Y esto, ¿qué es? ¡Más deprisa!" Sentí una congoja y una agonía que no son comparables a cualquier tortura de este mundo. Finalmente, el abuelo me condujo cerca del caballo que había robado el día antes, y gritó: "Y esto, ¿qué es? Responde lo más rápidamente posible". Me vi atrapado tan horrorosamente por todas partes que no logro describir aquel cruel y horrible suplicio. Era como si me rasgasen la carne. Sentía sofocarme y no era dueño de mí mismo. Y habría perdido los sentidos si esto hubiera durando un poco más. Pero el caballo tiró una coz y me dio en un carrillo, rompiéndomelo.

En aquel momento me desperté aterrorizado y sin fuerzas. Miré a mi alrededor y ya era de día. Me palpé el carrillo y por él corría la sangre. Y mi cuerpo yacía dolorido y rígido. Apenas pude ponerme en pie.

El carrillo continuó doliéndome durante mucho tiempo. Mira, aún tengo la cicatriz que antes no tenía. Desde aquel momento me he visto con frecuencia preso del terror. Ahora me basta recordar los tormentos del sueño, aquella angustia y desmayo..., para no saber dónde ponerme. Cuanto más pasaba el tiempo, tanto más frecuente se me hacía el recuerdo. Hasta que llegue a tener miedo de la gente y a avergonzarme, como si todos conociesen mi pasado de ladrón. No lograba ni beber, ni comer, ni dormir; me arrastraba como una sombra. Pensé volver a mi regimiento y confesarlo todo, aceptando el castigo que merecía. Quizá así Dios me habría perdonado mis pecados. Pero me faltó fuerza, porque sabía que me habría expuesto a ataques e insultos. Así mi paciencia se acabó y me vino la idea de colgarme. Pensé, sin embargo, que dada mi debilidad, no podía quedarme mucho de vida. Era, pues, lo mismo despedirme de mi tierra y morir allí. Tengo un sobrino. Me dirijo allí, llevo ya seis meses de camino, y la angustia y el miedo continúan atormentándome. ¿Qué piensas, amigo? ¿Qué debo hacer? ¡Ya no puedo más...!

Oído este relato, me quedé sorprendido y alabé una vez más la inmensa sabiduría y bondad de Dios que llama a los pecadores por los más diversos caminos. Le dije:

– ¡Querido hermano! Cuando te encontrabas dormido por el miedo y la angustia deberías haber orado a Dios. Es éste el gran remedio a todos nuestros males.

– ¡Jamás! –dijo–. Pienso que apenas me hubiera puesto a rezar, Dios me habría fulminado. -Tonterías, hermano. Es el diablo quien te sugiere estos pensamientos. Dios es infinitamente misericordioso, sufre por los pecadores y perdona en seguida a quienes se arrepienten. Quizá tú desconozcas la oración a Jesús:

"¡Señor Jesucristo, ten piedad de mí, pecador!" Repítela sin cesar.

– Conozco esa oración. Cuando iba a robar, alguna vez la decía para darme ánimos.

– Entonces escucha. Si el Señor no te fulminó en esas ocasiones, mientras infringías la ley y recitabas la oración, ¿cómo puedes creer que lo hará ahora que comienzas a rezarla en tu camino de arrepentimiento? Mira que tus pensamientos proceden del maligno... Créeme, hermano: si dices esta oración, despreocupándote de cualquier pensamiento que te pase por la mente, pronto sentirás alivio, desaparecerán el miedo y la opresión, y finalmente encontrarás la paz perfecta. Te convertirás en un hombre devoto y te abandonarán las pasiones. Te lo garantizo, porque he asistido a muchos casos parecidos.

Le conté algunos casos en que la oración a Jesús había tenido poder milagroso sobre los pecadores. Finalmente le convencí a venirse conmigo a Pocaev, al santuario de la Madre de Dios, refugio de los pecadores, antes de volver a casa. Confesaría y comulgaría en aquel santuario.

El soldado escuchó mis palabras con atención y, al parecer, con alegría. Estaba totalmente de acuerdo. Fuimos juntos a Pocaev, con el compromiso de no hablar nada entre nosotros, sino recitar incesantemente la oración a Jesús. Pasamos en silencio todo el día y toda la noche. Al día siguiente me dijo que se sentía mejor; se veía que su mente estaba más libre. Al tercer día llegamos a Pocaev, y yo le recordé que debía orar sin interrupción de día de noche, cuando no dormía, y le aseguré que el santísimo Nombre de Jesús, insoportable a nuestros enemigos espirituales, le salvaría con su poder. A este respecto leí aquel punto de la *Filocalía* en que se dice que, si bien debe recitarse la oración a Jesús en todo lugar, es preciso hacerlo sobre todo, y con la mayor atención, cuando nos preparamos para la comunión.

Siguió mis consejos, confesó y comulgó. Aunque los antiguos pensamientos le acometían todavía de tiempo en tiempo, lograba vencerlos con la oración a Jesús. El sábado por la tarde se acostó más pronto para estar preparado para los Maitines del domingo. Por su parte, continuó repitiendo la oración mientras yo, en un ángulo y a la luz de una candela, leía la *Filocalía*. Después de una hora se durmió y yo me puse a rezar. De improviso, veinte minutos más tarde, se sobresaltó y, saltando de la cama, se precipitó a mí lloroso, mientras, feliz, me decía:

– ¡Ay, hermano, lo que he soñado! ¡Qué paz y qué felicidad! Ahora creo realmente que Dios no atormenta a los pecadores, sino que tiene piedad de ellos. ¡Gloria a Ti, Señor, gloria a Ti!

Sorprendido y alegre le pedí que me contase exactamente lo que le había sucedido.

–Esto me ha sucedido. Apenas me había dormido, vi el mismo prado en que sufrí aquellas torturas. En un principio estaba aterrado, pero después, en lugar de la nube, vi salir un sol espléndido que inundaba la luz el prado en el que descubrí flores y hierba. De pronto se me acercó mi abuelo: una cara más dulce que nunca, que me saludaba tiernamente diciéndome: ve a Zitomir, a la iglesia de San Jorge, te acogerán bajo protección oficial. Permanece allí hasta el final de tus días y ora sin cesar. El Señor será clemente contigo. Dicho esto, hizo sobre mí la señal de la cruz y desapareció. Experimenté una alegría indescriptible, como si me quitase un peso de encima y volase al cielo. Me desperté de improviso, con la mente aliviada y el corazón lleno de gozo. ¿Qué haré ahora? Saldré inmediatamente para Zitomir, como me indicó el abuelo. ¡Me será fácil llegar, con la oración!

–Un momento, querido hermano. ¿Cómo puedes ponerte en camino en plena noche? Quédate para Maitines; reza y parte después con la bendición de Dios.

No creas que nos fuimos a dormir después de esta conversación; nos fuimos a la iglesia. Él estuvo rezando durante todos los Maitines con intenso fervor y con lágrimas en los ojos. Me dijo que se sentía tranquilo y feliz y que la oración a Jesús brotaba en él dulcemente. Al final de la misa comulgó y, después de haber comido algo, le acompañé al camino de Zitomir, donde nos despedimos llorando de alegría.

Después comencé a pensar en mis propios problemas. ¿Adónde iría ahora? Decidí finalmente volver a Kiev. Los sabios consejos de mi padre espiritual me empujaban allí y, además, pensaba que quizá allí pudiese encontrar un bienhechor dispuesto a ponerme camino de Jerusalén, o, al menos, del Monte Athos. Así permanecí otra semana en Pocaev, donde pasé el tiempo recordando los instructivos encuentros tenidos durante esta peregrinación y anotando muchas cosas edificantes. Después me preparé al viaje; cogí la mochila y me fui a la iglesia para encomendar mi viaje a la Madre de Dios.

Me disponía a partir después de la Misa. Estaba en el fondo de la iglesia cuando entró un hombre, de noble aspecto aunque vestido bastante pobremente, y me preguntó dónde se vendían las velas. Se lo indiqué. La Misa había terminado y me entretuve orando ante la *Huella de la Madre de Dios*. Una vez que hube acabado, me puse en camino. Llevaba un rato de camino cuando divisé en una casa a un hombre que leía un libro junto a una ventana abierta. Era el mismo que me había preguntado en la iglesia por el lugar donde se vendían las velas. Me quité el gorro, y él me llamó diciendo:

–Sospecho que tienes que ser peregrino, ¿no?

–Sí –le respondí.

Me hizo entrar y quiso saber quién era y hacia dónde me dirigía. Se lo conté todo, sin esconderle nada. Me sirvió té, y me dijo:

– Escucha, yo te aconsejaría ir al monasterio Solovetskij[11]. Allí hay un desierto tranquilo, llamado Anzeskij. Es como un segundo Monte Athos; reciben a todo el mundo. El noviciado consiste sólo en la obligación de leer por turno el salterio en la iglesia cuatro de las veinticuatro horas del día. Yo también pienso ir a pie, porque tengo hecho voto de ir allí. Podemos ir juntos; contigo iría mucho más tranquilo. Dicen que largos tramos de camino están desiertos y llevo dinero conmigo. Te proveería de alimento durante todo el camino. Podríamos caminar a una distancia prudencial el uno del otro para no distraernos mientras rezamos, leemos o meditamos. Piénsalo, hermano, y dime que sí. Te ayudará también a ti.

Su invitación me pareció una señal inesperada; la Madre de Dios me indicaba mi camino espiritual, como yo le había pedido que hiciera. Acepté en seguida y sin ninguna duda.

Partimos al día siguiente. Caminamos durante tres días a la distancia que habíamos convenido. Él leía continuamente su libro, que no abandonaba de día ni de noche. De tanto en tanto se quedaba absorto en meditación. Finalmente nos detuvimos a comer algo. Mi compañero tenía el libro abierto al tiempo que comía y lo miraba constantemente. Vi que era el Evangelio, y le dijo:

11. Famosísimo monasterio, que recibe su nombre un grupo de islas en el Mar Blanco. Dada su fama, no es extraña la comparación con el célebre Monte Athos.

– Permitidme que os pregunte por qué tenéis siempre el Evangelio en la mano, día y noche, sin dejarlo nunca.

– Porque de este libro, y sólo de éste, aprendo siempre –respondió.

– ¿Qué es lo que aprendes? –continué preguntando.

– La vida cristiana, que se resume toda ella en la oración. Yo pienso que la oración es el medio fundamental e indispensable para la salvación y el primer deber de todo cristiano. La oración es el primer grado y, al mismo tiempo, el culmen de toda vida devota. Por eso, el Evangelio enseña a orar siempre. Todos los otros actos de devoción tienen su momento apropiado; la oración, por su parte, no permite un momento de ocio. Sin la oración no se puede hacer nada bueno y sin el Evangelio no se puede aprender la verdadera oración. Por eso, todos los que ha alcanzado la salvación por el camino de la vida interior, los santos predicadores de la palabra de Dios, los ermitaños y anacoretas, así como todos los cristianos temerosos de Dios, han sacado su ciencia de una constante e indefectible meditación de las profundidades de la palabra de Dios. La lectura del Evangelio ha constituido su actividad esencial. Muchos tenían siempre en las manos el Evangelio y, cuando enseñaban cómo obtener la salvación, daban este consejo: "Recógete en una habitación y lee y relee el Evangelio". Esta es la razón por que el Evangelio es mi única preocupación.

Me gustaron estas reflexiones y su deseo de oración, y continué preguntándole:

– ¿De qué evangelio en particular has sacado la enseñanza sobre la oración?

– De los cuatro –me respondió–. Es decir, de todo el Nuevo Testamento, leyéndolo por orden. Lo he leído durante largo tiempo, y, meditándolo, he descubierto una gradualidad y una ilación sistemática en la enseñanza sobre la oración a lo largo de todo el Evangelio, comenzando por el primer evangelista y continuando hasta el final. Por ejemplo: se comienza con una introducción, se sigue con su forma, o sea, la expresión vocal. Más adelante encontramos las condiciones indispensables para la oración, los medios para aprenderla y los ejemplos; y por último, la secreta doctrina sobre la incesante oración interior y espiritual en el Nombre de Jesucristo, que nos es presentada como más elevada y saludable que la oración formal. Después se habla de su necesidad y sus benditos frutos, etc. En una palabra, en el Evangelio se encuentra el pleno y minucioso conocimiento de la práctica de la oración expuesta sistemáticamente de principio a fin.

Oída esta explicación, pensé pedirle algunos ejemplos concretos, y así le dije:

– Porque lo que más amo es oír hablar de la oración y conversar sobre este tema, me gustaría mucho ver esta cadena secreta de enseñanzas sobre la oración en toda su particularidad. Por amor de Dios, indícame todo esto en el Evangelio.

Asistió de buena gana, y me dijo:

"Abre tu Evangelio, lee y señala lo que te vaya diciendo –y me dio incluso el lápiz–. Echa una mirada a estas notas. Bien, busca en primer lugar el capítulo 6 de Mateo y lee los versículos 5 al 9. Aquí tenemos la preparación e introducción a la oración; se nos enseña que hemos de comenzar a orar no por vanagloria y ruidosamente, sino en la paz de un lugar solitario: orar sólo para obtener el perdón de los pecados y la unión con Dios, evitando peticiones superfluas por las diversas necesidades de la vida, como hacen los paganos. Lee, después, más adelante, en el mismo capítulo, desde el versículo 9 hasta el 14. Aquí se nos presenta la forma de la oración es decir, las palabras que tenemos que usar. En estas palabras está concentrado, con extremada sabiduría, todo lo que es indispensable y deseable para nuestra vida. Sigue adelante y lee los versículos 14 y 15 del mismo capítulo y verás las condiciones para que tu oración sea eficaz. En efecto, si no perdonamos a quienes nos ofenden, el Señor no nos perdonará nuestros pecados.

Pasando al quinto relato encontrarás en los versículos 7-12 lo que tienes que hacer para que tu oración obre y sean audaces tus esperanzas: "Pide, busca, llama". Estas fuertes palabras se refieren a la frecuencia de la oración y a la urgencia de su constante ejercicio, a fin de que no sólo acompañe todas nuestras acciones, sino que tenga también precedencia sobre ellas. Esta es la principal prerrogativa de la oración. Un ejemplo lo encuentras en Marcos, capítulo 14, versículos 32-39, donde el mismo Jesucristo, en Getsemaní, repite más de una vez, orando, las mismas palabras. Otro ejemplo parecido sobre la reiteración de la oración lo ofrece también Lucas 18,1-8, sobre la insistente petición de la viuda importuna, iluminando el mandato de Jesucristo según el cual hay que orar siempre, en todo tiempo y lugar, sin.

Después de esta preciosa enseñanza descubrimos en Juan la doctrina fundamental sobre la oración secreta e interior del corazón. Está expuesta primeramente en el profundo relato del coloquio de Jesús con la Samaritana, donde se le revela la adoración "en espíritu y en verdad", que Dios mismo desea y que es la verdadera e incesante oración, "el agua viva que salta hasta la vida eterna", de la que Juan habla en el capítulo 4, desde el versículo 5 al 25. Más adelante, en el capítulo 15, del versículo 5 al 8, se manifiestan aún más claramente el poder y la necesidad de la oración interior, es decir, la presencia del Espíritu en Cristo en un incesante recuerdo de Dios. Y lee, por último, en el capítulo 16 del mismo evangelista, los versículos 23-25. Aquí se revela el misterio. Aquí ves la fuerza inmensa que tiene la oración en el Nombre de Jesús, o, la así llamada, oración a Jesús –es decir, "Señor, Jesucristo, ten piedad de mí"–, si la repites con frecuencia y constancia, y cómo abre con facilidad sorprendente el corazón llenándolo de luz. Este es claramente el caso de los Apóstoles, que llevaban ya más de un año como discípulos de Jesús, habían recibido de Él su oración, el *Padre nuestro*, que nos han legado, y sin embargo, a final de su existencia terrena Jesucristo les reveló el misterio que aún ignoraban, para que su oración fuese realmente eficaz. Les dijo: "Hasta ahora nada habéis pedido en mi nombre. Yo os aseguro: lo que pidáis al padre en mi nombre, os lo dará" (Jn 16,24 y 23). Y así fue. Cuando los Apóstoles aprendieron a ofrecer oraciones en el Nombre del Señor Jesucristo, ¡qué obras tan maravillosas llevaron a cabo y cuánta luz obtuvieron! ¿Ves ahora la concatenación, la progresiva y completa enseñanza sobre la oración, encerrada con tanta profundidad en el Santo Evangelio? Y si pasas a las cartas apostólicas encuentras también en ellas la misma enseñanza sistemática sobre la oración.

Continuando con mis notas, te indicaré algunos pasos que iluminan las propiedades de la oración. En los Hechos de los Apóstoles se nos describe su práctica, es decir, el ejercicio diligente y constante, tal como lo practicaban los primeros cristianos iluminados por su fe en Jesucristo (Act 4,1). Se habla ahí de los frutos y efectos que se logran permaneciendo constantemente en la oración. Algo parecido encontrarás en el capítulo 16, versículos 25-26.

Sigue después por orden las cartas apostólicas y encontrarás: 1. Cuán necesaria es la oración en cualquier circunstancia de la vida (St 5,13-16); 2. Cómo se debe orar siempre en el Espíritu (Ef 11,18); 3. Cuán necesarias son la oración la calma y la paz interior (Fl 4,6-7); 4. Cómo es necesario orar sin interrupción (1Ts 5,17); 5. Por último, cómo es preciso orar no sólo por nosotros, sino por todos los hombres.

De esta manera, y si se sigue atentamente este método, se podrán encontrar otras muchas referencias de secreta doctrina, encerrada en la palabra de Dios. Escapa, sin embargo, a una ocasional y rápida lectura.

¿Te has dado cuenta, con estas mis indicaciones, con qué sabiduría y sistematización expone el Nuevo Testamento la doctrina de Nuestro Señor Jesucristo sobre el tema que nos ocupa y con qué admirable secuencia se nos presenta en los cuatro evangelios? En Mateo encontramos la introducción a la oración, su forma actual, sus condiciones, etc. En Marcos encontramos los ejemplos, en Lucas las parábolas. Y en Juan el secreto ejercicio de la oración interior, si bien es verdad que de ésta se trata también en los otros evangelistas, más o menos extensamente. En los Hechos se ilustran la práctica y los efectos de la oración; en las Cartas apostólicas y en el Apocalipsis se habla de hechos concretos estrechamente ligados al acto de la oración.

Esta es la razón por la que me es suficiente el Evangelio como maestro en los caminos de la vida espiritual que llevan a la salvación".

Mientras hablaba, yo iba señalando en mi Evangelio todos los lugares que él me indicaba. Todo me parecía notable y edificante. Se lo agradecí mucho.

Caminamos todavía por espacio de cinco días en silencio. A mi compañero comenzaron a dolerle las piernas, probablemente porque no estaba acostumbrado a una marcha continua. Por eso alquiló una carroza de dos caballos y me hizo subir también a mí.

Y así hemos llegado aquí, donde nos quedaremos tres días, el tiempo necesario para descansar, y después dirigirnos inmediatamente a Anzerskij, donde él tiene tantas ganas de llegar.

Staretz

¡Extraordinario, este compañero tuyo! A juzgar por su piedad debe ser muy instruido. Me agradaría conocerlo.

Peregrino

Compartimos la misma habitación. Si lo deseáis, os lo traigo mañana. Ahora es ya tarde... ¡Adiós!

SEXTO RELATO

Orad los unos por los otros, para que seáis curados (St 5,16).

Peregrino

Ni yo, ni mi devoto compañero de viaje, el profesor, hemos sido capaces de superar el deseo de venir hasta aquí, antes de emprender de nuevo el camino, para deciros adiós y pediros que oréis por nosotros.

Profesor

Sí; para nosotros han sido preciosas vuestra hospitalidad y las saludables conversaciones espirituales tenidas aquí con vos y con vuestros amigos. Este recuerdo quedará en nuestro corazón, prenda de amistad y de amor cristiano en la lejana provincia a la que vamos.

Staretz

Os agradezco vuestro recuerdo y vuestro amor, pero llegáis muy oportunos. Se han detenido aquí dos peregrinos: un monje moldavo y un ermitaño, que vive desde hace veinte años en el silencio, en el bosque. Desean veros. Os los traigo en seguida... ¡Helos aquí!

Peregrino

¡Qué feliz es la vida en la soledad! Ella permite guiar el alma a la ininterrumpida unión con Dios. El bosque silencioso es como un Edén, en el que el dulce árbol de la vida crece en el corazón del solitario que ora.

Profesor

Desde lejos, todas las cosas parecen particularmente bellas, pero cada uno sabe por experiencia que todo lugar presenta ventajas y desventajas. Ciertamente, para quien tiene un temperamento melancólico e inclinación al silencio, la vida ascética le será alegre; pero, ¡cuántos peligros puede reservar! La historia del ascetismo ofrece muchos ejemplos de los que se desprende que un buen número de ermitaños, que se alejaron de todo contacto humano, cayeron en la ilusión y en profundas seducciones.

Ermitaño

Me sorprende cómo en Rusia, no sólo entre los monjes, sino también entre laicos temerosos de Dios, se pueda oír con frecuencia que muchos, deseosos de vivir en el anacoretismo o de ejercitarse en la práctica de la oración interior, se abstengan de seguir esta inclinación ante el temor de acabar presa de la ilusión. Para reforzar sus afirmaciones aducen ejemplos que deberían justificar su abstención de la vida interior y el desaconsejarlo a otros. Pienso que esto tiene dos motivos: o bien la incomprensión del problema y la falta de iluminación espiritual, o bien su indiferencia ante la conquista de la contemplación o la celotipia manifestada en el hecho de que otros, colocados en un nivel más modesto, los hayan superado en la consecución de estos altos conocimientos.

Es una pena que quienes tienen estas convicciones no estudien las enseñanzas de los santos Padres, que indican explícita y resueltamente, que cuando uno se entrega a Dios no hay que temer ni dudar. Si alguno ha caído en alucinaciones y fanatismos, esto le ha pasado por orgulloso, por falta de guía y por haber confundido apariencias y fantasías con realidades. Si llegase a darse este peligro, continúan los Padres, esto conduciría a la experiencia y a la coronación suprema. Porque Dios protege rápidamente cuando permite la prueba. ¡Animo! "Estoy con vosotros, no temáis", dice el Señor (Jn 6,20). Es vano, pues, dejarse asustar por el riesgo que encierra la vida interior con el pretexto de caer en ilusiones. El humilde conocimiento de los propios pecados, la plena sinceridad con el propio maestro espiritual y la absoluta ausencia de formas durante la oración con un seguro y firme remedio contra las seducciones que muchos tanto temen y por eso no intentan ni siquiera la ascesis de la mente. Son precisamente estas personas, dicho sea incidentalmente, las más expuestas a la tentación como sabiamente dice Filoteo el Sinaíta: "Muchos monjes no conocen las ilusiones de su misma mente, que sufren en manos del demonio; se ejercitan diligentemente en una sola forma de actividad, o sea, en la práctica de las buenas obras exteriores, y no se preocupan lo más mínimo de la mente, es decir, de la contemplación interior, siendo como son ignorantes y poco iluminados". "Si oye que en otros la gracia obra en su interior, por celotipia lo consideran seducción", asegura san Gregorio el Sinaíta.

Profesor

Permitidme una pregunta. Ciertamente debe tener conciencia de sus propios errores todo el que se mire a sí mismo con atención. Pero, ¿cómo comportarse cuando falta un guía que pueda conducirnos, según experiencia, a lo largo del camino interior e impartirnos, cuando le abramos nuestra alma, un conocimiento seguro y preciso de la vida espiritual? En este caso, evidentemente, sería preferible no intentar la contemplación antes que hacerlo por cuenta propia, sin guía. Además, me es difícil comprender cómo, poniéndose en la presencia de Dios, se pueda observar una completa ausencia de formas. Esto no es natural, porque el alma, y nuestra mente, no puede sugerir a la imaginación algo que no caiga bajo formas. Y, por otra parte, ¿por qué, si la mente está inmersa en Dios, no puede presentar a la imaginación la figura de Jesucristo o de la Santísima Trinidad, etcétera?

La guía de un maestro o *Staretz*, experto y seguro en la actividad espiritual, a quien se pueda acudir diariamente para abrirle el corazón y confiarle los pensamientos y experiencias del proceso interior, es la primera condición para practicar la oración interior una vez hecha la elección de la vía del silencio. Sin embargo, cuando no es posible encontrarlo, los mismos santos Padres hablan de excepción. Prescribe claramente Nicéforo el Monje: "En el ejercicio de la actividad interior del corazón es necesario un guía auténtico y sabio. Si no existe, hay que buscarlo con diligencia. Si no se encuentra, hay que invocar la ayuda de Dios con corazón contrito y aprovechar la enseñanza y guía que proporcionan los santos Padres verificándola con la palabra de Dios revelada en la Escritura.

Es necesario considerar también que quien busca con celo y buena voluntad puede aprender cosas útiles también de personas sencillas. Los santos Padres aseguran que incluso un moro, si te acercas a él con fe y recta intención, puede decirte una palabra preciosa. Y en cambio, si te acercas sin fe y recta intención a un profeta, ni siquiera él podrá contentarte. Encontramos un ejemplo en Macario el Grande, quien en cierta ocasión logró vencer una tentación con el sabio razonamiento de un campesino.

En cuanto a la ausencia de formas, es decir, la abstención del uso de la imaginación y el rechazo de cualquier visión durante la contemplación –sea una luz, sea un ángel, Cristo o cualquier santo–, nos lo imponen los santos Padres, porque la creatividad de la imaginación puede encarnar fácilmente o dar vida a representaciones de la mente. El inexperto puede dejarse seducir con facilidad por estas fantasías, creer que son visiones de gracia, y caer en la ilusión, a pesar de que la misma Escritura advierta que el mismo Satanás pueda disfrazarse de ángel de luz (2Co 11,14).

Que la mente pueda estar sin formas con toda naturalidad, incluso mientras recuerda la presencia de Dios, se prueba por el hecho de que el poder de la imaginación puede presentar perceptiblemente una cosa sin formas, permaneciendo fija en aquella presentación. Así, por ejemplo, la presentación o la sensación de nuestra alma, o del aire, o del calor, o del frío. Cuando se tiene frío, el calor puede ser representado con toda viveza, aunque no tenga forma, ni sea visible, ni se lo mida con la sensación física de quien siente frío. De la misma manera, la presencia de la esencia de Dios, espiritual e inasible, puede hacerse presente a la mente, y ser advertida por el corazón en la más absoluta ausencia de imágenes.

Peregrino

También a mí me ha sucedido en mis peregrinaciones oír decir a la gente devota, ansiosa de la salvación que tenía miedo de empeñarse en la vida interior, por temor a las ilusiones. A algunos les he leído yo mismo, con buenos resultados, las enseñanzas de Gregorio el Sinatía, en la *Filocalía*. Dice este autor que "la actividad del corazón no puede ser ilusoria, como puede serlo la de la mente, porque si el enemigo quisiese transformar el calor del corazón en un fuego incontrolado, o cambiar la alegría del corazón en un oscuro placer de los sentidos, sucedería que el tiempo, la experiencia y la sensibilidad misma revelarían su perfidia incluso a los ignorantes".

También he encontrado a otros que, desgraciadamente, después de haber conocido el camino del silencio y la oración del corazón, encontrando alguna dificultad, causada por su culpable debilidad, caen en el desconsuelo y abandonan la actividad interior del corazón, que habían vivido antes.

Profesor

Sí, ¡y es muy natural! Yo mismo lo he experimentado en mí mismo cuando me he distraído internamente o he cometido cualquier falta. Dado que la oración del corazón es cosa santa, y es unión con Dios, ¿no es quizá inconveniente y temerario introducir lo santo en un corazón pecador sin haberlo purificado antes con el silencio y la contricción y con una digna preparación para el encuentro con Dios? Es preferible enmudecer ante Dios que ofrecerle "palabras insensatas", nacidas de un corazón oscuro y distraído.

Monje

Es muy triste que penséis así. Esto equivale a dasánimo, que es el peor de los pecados y la principal arma usada por el mundo de las tinieblas contra nosotros. Los sabios, y los santos Padres, en un caso como éste, dan un consejo totalmente distinto. Nicetas Stethatos asegura que ni siquiera sin hubieras caído en lo más profundo del infierno deberías desesperar sino dirigirte inmediatamente a Dios, quien elevará en seguida tu corazón caído y te dará más fuerza que antes. Por eso, después de cualquier caída o herida en el corazón, debes ponerte inmediatamente en presencia de Dios, para que te cure y purifique. Te sucederá como a las cosas infectas, que, puestas a los rayos del sol, pierden su fuerza dañosa. Muchos maestros espirituales hablan positivamente de esta lucha interna con los enemigos de la salvación, con nuestras pasiones. Incluso si estuviésemos heridos mil veces, no deberíamos renunciar a la acción vivificante, es decir, a la invocación de Jesucristo presente en nuestros corazones. Nuestras acciones no deben desviarnos de nuestro modo de presencia de Dios y de la oración interior, despertando en nosotros el ansia, el desánimo y la melancolía. Deben, más bien, avivar nuestra vinculación a Dios. Un niño pequeño, ayudado por la madre cuando comienza a andar, se vuelve en seguida a ella y se agarra a ella con más fuerza precisamente cuando se ha caído.

Ermitaño

Lo que yo pienso es lo siguiente: el espíritu de desánimo y los pensamientos ansiosos y de duda se elevan más fácilmente cuando la mente, distraída, falta a la guarda silenciosa del propio corazón. Los Padres antiguos, en su divina sabiduría, consiguieron la victoria sobre el desánimo y lograron la iluminación y la fuerza interior gracias a la esperanza en Dios, al silencio y a la soledad. Nos dejaron este útil y prudente consejo: "permanece en silencio en tu celda, y lo aprenderás todo".

Profesor

Por la confianza que tengo en vosotros he escuchado con gozo vuestra crítica a mi modo de pensar acerca del silencio que tanto alabáis y a los beneficios de la vida solitaria que llevan los ermitaños. Yo creo que, dado que todos los hombres, por una ley natural que viene del Creador, dependen necesariamente unos de otros, y por eso están obligados a ayudarse mutuamente en la vida y a trabajar unos para otros, el bienestar del género humano y el amor al prójimo está y se manifiesta en la sociabilidad. Y por eso me pregunto: ¿cómo puede un silencioso ermitaño, que se ha sustraído a la relación humana, sin trabajar, ser útil a su prójimo, o en qué manera contribuir al bienestar de la sociedad humana? Destruye plenamente en sí la ley del Creador, por la que los hombres deben estar unidos en el amor y trabajar para el bien de los hermanos.

Ermitaño

Al no ser exacto tu punto de vista sobre el silencio, son también erradas las consecuencias que deduces. Veamos el problema en sus particularidades:

1. El solitario que vive en el silencio no sólo no se encuentra en una condición de inactividad y de ocio, sino que es activo en su más alto grado, más que el que participa en la vida social. Trabaja incansablemente según la parte más elevada de su naturaleza racional; se guarda a sí mismo; medita, vigila sobre el estado y progreso de su existencia moral. Esta es la verdadera finalidad del silencio. Y en la medida en que es útil a su perfeccionamiento, lo es también al del prójimo, privado de la posibilidad de concentrarse en sí mismo sin distracciones para dedicarse a la propia edificación moral. Quien vigila en el silencio, comunicando sus experiencias interiores, sea a voces (en casos excepcionales), sea confiándolas al papel, contribuye eficazmente al beneficio espiritual y a la salvación de los hermanos. Su aportación es mayor y de más alta calidad que la del hombre caritativo, porque la caridad privada y emotiva de la gente del mundo es algo siempre limitado a un pequeño número de beneficiados. En cambio, quien ofrece beneficios divulgando convenientes y experimentados métodos de perfeccio-

namiento espiritual, se convierte en benefactor de pueblos enteros. Su experiencia y enseñanzas se trasmiten de generación en generación, como podemos constatar nosotros mismos, que nos servimos de las enseñanzas aparecidas desde tiempos antiguos hasta hoy. Y esto no difiere para nada del amor cristiano; más aún, lo supera en sus consecuencias.

2. El beneficio y utilísimo influjo sobre el prójimo de quien guarda el silencio se revela no sólo en la comunicación de sus instructivas observaciones sobre la vida interior, sino también en el ejemplo de su vida separada, que ayuda al seglar atento, guiándole al conocimiento de sí mismo y despertando en él el sentido de devoción. El hombre del mundo, oyendo hablar del devoto solitario, experimenta un impulso hacia la vida devota, recuerda su vocación en este mundo y la posibilidad de volver al antiguo estado contemplativo en el que estaba al salir de las manos del Creador. El silencio ermitaño enseña con su propio silencio, socorre con su propia vida, edifica y persuade a la búsqueda de Dios.

3. Tales beneficios tienen su manantial en el auténtico silencio, iluminado y santificado por la luz de la gracia. Incluso en el caso de que el ermitaño que vive en el silencio no tuviese estos dones de gracia que hacen de él una luz para el mundo, que hubiese elegido el camino del silencio con el fin de esconderse a los ojos de la sociedad por pura pereza e indiferen-

cia, incluso entonces prestaría una gran ayuda a la comunidad en que vivía. Como el jardinero que corta las ramas secas y arranca la grama para que no impidan el crecimiento de las plantas buenas y útiles. Y esto es ya mucho. Es un beneficio para la sociedad que el ermitaño, con su aislamiento, elimine las tentaciones que seguramente habría aportado al mundo con una vida no precisamente edificante, sino perniciosa para la moral del prójimo.

Sobre la importancia del silencio exclama san Isaac el Sirio: "Si ponemos sobre un platillo de la balanza todas las acciones de esta vida y sobre el otro el silencio, encontraremos que es este último el que hace inclinar la balanza". "No pueden compararse quienes hacen en el mundo signos y prodigios con quienes viven conscientemente en el silencio. Prefiere la inactividad del silencio a saciar a los hambrientos del mundo, o a la conversión de muchas personas a Dios. Es mejor para ti librarte de los lazos del pecado, que librar esclavos de la esclavitud".

Incluso los sabios más elementales han reconocido el valor del silencio. La escuela neoplatónica, que tuvo muchos adeptos bajo la guía del filósofo Plotino, desarrolló en alto grado la vida contemplativa, que es alcanzable sólo con el silencio. Un escritor espiritual decía que incluso si el estado evolucionase al máximo grado de cultura y de moral, incluso entonces sería necesario proveer al pueblo de contemplativos, sumándolos a quienes llevan la común actividad civil, a fin de mantener vivo el espíritu de la verdad y, recogiéndolo de los siglos pasados, conservarlo para los futuros y transmitirlo a la posteridad. En la Iglesia, estas personas son los ermitaños, los anacoretas y los reclusos.

Peregrino

Parece que nadie ha sabido apreciar la excelencia del silencio como san Juan Clímaco. "El silencio", dice, "es la madre de la oración, la liberación de la cárcel del pecado, el éxito, aunque en muchos no consciente, en la virtud, y una incesante escalada al cielo". Jesucristo mismo, para mostrarnos los beneficios y necesidad del silencio y de la soledad, interrumpía con frecuencia la predicación pública y se retiraba a lugares aislados para orar y tener tranquilidad. Los silenciosos contemplativos son como pilastras que sostienen la devoción de la Iglesia con su orar secreto e incesante. En la antigüedad vemos a muchos laicos devotos, incluidos emperadores y cortesanos, irse a los desiertos de estos callados anacoretas a suplicar oraciones que les diesen fuerza y la salvación. Es claro, pues, que también el silencio puede servir al prójimo y contribuir al bien de la sociedad con su oración solitaria.

Sí, pero este modo de pensar no me resulta fácil entenderlo. Es costumbre entre nosotros, cristianos, pedirse mutuamente oraciones, desear que otros oren por nosotros, y poner especial confianza en algunos miembros de la Iglesia. ¿No es ésta, pura y simplemente, una pretensión egoísta? ¿No será, quizá, una costumbre recibida, un capricho de la mente, no apoyado en consideración alguna seria? ¿Es que, quizá, necesita Dios intercesión humana alguna cuando todo lo prevé y obra según su misericordiosa providencia, no según nuestro deseo, conociéndolo y determinándolo todo antes de que se lo hayamos pedido, como dice el Evangelio? ¿Puede ser más eficaz la oración de muchos para influir en sus determinaciones que la oración de uno solo? ¿Se mostraría Dios parcial en este caso? ¿Es posible que pueda salvarme la oración de otro, si cada uno de nosotros se salvará o condenará por sus propias acciones? Por eso, la oración de petición no es, según mi opinión, más que una piadosa expresión de delicadeza espiritual, que manifiesta humildad y deseo de complacer a una persona prefiriéndola a otra; pero nada más.

Monje

Si miramos sólo a consideraciones exteriores, siguiendo una filosofía elemental, se puede hablar así. Pero la razón espiritual, iluminada por la luz de la religión y educada por la experiencia de la vida interior, penetra mucho más, contempla con mayor claridad y revela misteriosamente lo contrario de cuanto habéis afirmado. Para comprender esto pronto y claramente pondremos un ejemplo y lo verificaremos a la luz de la palabra de Dios. Un estudiante acude a un cierto maestro para instruirse. Su escasa capacidad, y más aún su pereza y distracción, le impiden progresar en el estudio y lo relegan a la categoría de los perezosos y mediocres. Entristecido y no sabiendo cómo combatir las propias deficiencias, encuentra a un compañero de clase, mucho más capaz y diligente que él, y le confía su amargura. Este se compadece y le invita a estudiar con él. "Trabajaremos juntos", le dice; "Estaremos más atentos y animados, y así nos irá mejor".

Comienzan, pues, a estudiar juntos, y el que lo ha comprendido mejor se lo explica al otro. ¿Y qué sucede después de unos días? El perezoso se convierte en diligente, comienza a estimar el estudio, su pereza deja lugar al celo, al ardor y a la inteligencia de las cosas, lo cual tiene un influjo benéfico sobre su carácter y su vida moral. Y el compañero inteligente, a su vez, aumenta aún más su bravura y laboriosidad. Los dos se han ayudado mutuamente. Y esto es perfectamente natural. Dado que el hombre nace entre los hombres, en contacto con ellos desarrolla su inteligencia, educación, costumbres de vida, emociones, voluntad..., en una palabra: lo recibe todo del ejemplo de sus semejantes. Y dado que la vida de los hombres se basa en relaciones muy estrechas y en un fortísimo influjo de unos sobre otros, cada uno imita a las personas entre las que vive, asume sus costumbres, conducta y moral.

Consiguientemente, el que es frío puede apasionarse, el necio despertar, el perezoso pasar a la acción, gracias al interés que hay en sus semejantes. Espíritu puede transmitirse a espíritu e influir eficazmente uno sobre otro, atraerlo a la oración, a la atención, aliviarle en el desconsuelo, disuadirle en el vicio, estimularle a acciones santas. Y así, quienes se ayudan mutuamente, pueden hacerse más piadosos, espiritualmente más fuertes, más fervientes. He aquí el secreto de la oración por los demás, que explica la devota costumbre de los cristianos de orar unos por otros, de pedir oraciones fraternas.

Por donde se ve que Dios no se complace, como los poderosos de la tierra, en las muchas súplicas e intercesiones. Lo que sucede es que el espíritu mismo, la misma fuerza de la oración, purifica y despierta al alma por la que se ha ofrecido, y la prepara a la unión con Dios.

Si es tan eficaz la mutua oración de quienes viven en la tierra deduciremos que, de la misma manera, orar por quien ha dejado la tierra es recíprocamente benéfico, por la estrecha unión del mundo celestial con el nuestro. Así las almas de la Iglesia militante pueden ser atraídas a la unión con las almas de la Iglesia triunfante; o, lo que es lo mismo, los vivos con los muertos.

Todo lo que he dicho es un razonamiento psicológico; pero si abrimos la sagrada Escritura podemos, también con ella, verificar lo dicho:

1. Jesucristo dice al apóstol Pedro: "Yo he rogado por ti, para que tu fe no desfallezca" (Lc 22,32). Aquí veis cómo el poder de la oración de Cristo fortalece el espíritu de Pedro y le alienta en la tentación contra la fe.

2. Cuando el apóstol Pedro estaba en prisión, de la Iglesia se levantaba una incesante oración a Dios por él (Act 12,5). Aquí se nos revela la ayuda que puede dar la oración fraterna en las dolorosas circunstancias de la vida.

3. Pero el mandamiento más claro que nos pide orar por el prójimo nos viene del santo apóstol Santiago: "Confesaos, pues, mutuamente vuestros pecados y orad los unos por los otros, para que seáis curados. La oración ferviente del justo tiene mucho poder" (St 5,16). Mi argumentación filosófica encuentra aquí una precisa confirmación. ¿Y qué decir del ejemplo que nos da el santo apóstol Pablo debería enseñarnos cuánto y necesaria es la mutua oración cuando en tan santo y grande *podviznik* como él, reconoce la necesidad de la ayuda espiritual de esta oración. En su carta a los Hebreos la encarece con estas palabras: "Rogad por nosotros, pues estamos seguros de tener recta conciencia, deseosos de proceder en todo con rectitud" (Hb 13,18).

Si prestamos atención a esto, aparece evidente que es irracional fiarse sólo de nuestras propias oraciones y de nuestro provecho, cuando vemos que un hombre tan santo y tan lleno de gracia pide humildemente que se una a su oración la del prójimo (los hebreos). Por eso, en humildad, simplicidad y amorosa unión, no rechacemos ni desdeñemos la ayuda de las oraciones, incluso las del más débil de los fieles, ya que el clarividente espíritu del apóstol Pablo no tuvo dudas a este respecto. Él pidió oraciones a todos en general, sabiendo bien que la potencia divina se muestra perfecta en los débiles (2Co 12,9); puede, pues, ser perfecta, a veces, en quienes parecen más débiles en la oración.

Apoyados en la fuerza de este ejemplo añadamos que la oración mutua refuerza la unión cristiana en la caridad mandada por Dios, testimonia la humildad de quien pide la oración, y, por así decirlo, atrae el espíritu de quien ora. Así se alimenta la mutua intercesión.

Profesor

Vuestros análisis y testimonios son admirables, pero me gustaría aprender de vosotros el método y forma precisos de la oración en favor del prójimo. Pienso que si la eficacia y poder de atracción de la oración dependen de un vivo interés por nuestro prójimo y, más aún, del influjo constante del espíritu de quien ora sobre el espíritu de quien pide la oración, ¿no sucederá que con tal estado de ánimo desvíe al hombre del incesante sentimiento de la presencia invisible de Dios y de la efusión de su alma ante Dios en la necesidad? ¿No creéis que es suficiente para atraerla y fortalecerla acordarse sólo dos o tres veces al día pidiendo para ella la ayuda de Dios? Brevemente: querría saber cómo se debe orar por los otros.

Monje

La oración ofrecida a Dios, por cualquier motivo que sea, no debe, y no puede, distraer de la unión de Dios, es evidente que deberá serlo en su presencia. En cuanto al método de la oración por los otros, es necesario observar que la fuerza de este tipo de oración consiste en la sincera compasión cristiana para con el prójimo, y según sea esta compasión, así influirá en el otro. Por lo tanto, en el momento en que te acuerdas de él –de tu prójimo–, o en el tiempo establecido para hacerlo, conviene evocar mentalmente su imagen ante la presencia de Dios y ofrecer la oración en la forma siguiente: "Señor misericordiosísimo, hágase tu voluntad, que quiere que todos los hombres se salven y lleguen al conocimiento de la verdad; salva y socorre a tu siervo N. Acoge este mi deseo como un grito de amor que tú mismo has mandado".

Ordinariamente debe repetirse esta oración siempre que el alma se vea inclinada a ello o bien utilizar las cuentas del rosario. Sé por experiencia cuán benéficamente obra esta oración sobre aquel por quien es ofrecida.

Profesor

Creo mi deber recordar siempre vuestra edificante conversación y los iluminados pensamientos que se deducen de vuestros argumentos, al tiempo que os confieso a todos vosotros la reverente gratitud de mi corazón.

Peregrino y profesor

Ha llegado el momento de irnos. Con gran fervor os pedimos que oréis por nosotros y por nuestro viaje.

Staretz

"El Dios de la paz que suscitó de entre los muertos a nuestro Señor Jesús, el gran Pastor de las ovejas en virtud de la sangre de una Alianza eterna, os disponga con toda clase de bienes para cumplir su voluntad realizando Él en nosotros lo que es agradable a sus ojos, por mediación de Jesucristo, a quien sea la gloria por los siglos de los siglos. Amén" (Hb 13,20-21).

INDICE

INTRODUCCIÓN 3
El Peregrino y su mundo 3
La vuelta del Peregrino 5
1. Búsqueda y peregrinación 5
2. Misticismo y contemplación 5
3. Vocación y no ocio 6
4. Dimensión y valor de la oración 6
RELATO PRIMERO 7
RELATO SEGUNDO 25
RELATO TERCERO 73
RELATO CUARTO 79
RELATO QUINTO 127
Staretz 127
Peregrino 127
La confesión que guía al hombre interior a la humildad 152
Staretz 186
Peregrino 186
SEXTO RELATO 187
Peregrino 187
Profesor 187
Staretz 187
Peregrino 188
Profesor 188
Ermitaño 188
Profesor 190
Ermitaño 191
Peregrino 192
Profesor 193
Monje 194
Ermitaño 195
Profesor 195
Ermitaño 196
Peregrino 199
Monje 200
Profesor 204
Monje 205
Profesor 206
Peregrino y profesor 206
Staretz 206